Elisabeth Heisenberg

Das politische Leben eines Unpolitischen
Erinnerungen an Werner Heisenberg

Elisabeth Heisenberg

Das politische Leben eines Unpolitischen

Erinnerungen an Werner Heisenberg

R. Piper & Co. Verlag
München Zürich

ISBN 3–492–02552–8
© R. Piper & Co Verlag, München 1980
Gesetzt aus der Bembo-Antiqua
Gesamtherstellung Clausen & Bosse, Leck
Printed in Germany

Er war in erster Linie spontaner Mensch, dem nächst genialer Wissenschaftler, dann ein Künstler, nahe der produktiven Gabe, und erst in vierter Linie, aus Pflichtgefühl, ›homo politicus‹.

CARL FRIEDRICH VON WEIZSÄCKER
ÜBER WERNER HEISENBERG

Inhalt

Vorwort. 9

Zu den Quellen 17

I. Kapitel: Kindheit und Jugend. 19

II. Kapitel: Erste Konflikte mit der Politik 39

III. Kapitel: Die »Deutsche Physik« und die
Nachfolge Sommerfelds. 55

IV. Kapitel: Emigrationsangebote aus dem Ausland. 75

V. Kapitel: Krieg und die Reise nach Kopenhagen . 89

VI. Kapitel: Die Übernahme des Kaiser-
Wilhelm-Instituts in Berlin und die letzten Jahre
des Krieges 105

VII. Kapitel: Gefangenschaft und der Abwurf
der Bombe 127

VIII. Kapitel: Nach dem Kriege. 149

IX. Kapitel: Unter der Verantwortung 167

Schluß 183

Bildnachweis. 190

Register 191

Vorwort

Im Frühjahr 1977 reiste ich mit etwa 25 Humboldt-Stipendiaten durch Deutschland. Eine solche Reise ist das Angebot der Alexander von Humboldt-Stiftung für junge Wissenschaftler, die aus über 50 verschiedenen Ländern der Welt nach Deutschland kommen, um hier zu arbeiten und ihre Studien fortzusetzen, und die während dieser Zeit die Gelegenheit haben sollen, Deutschland kennenzulernen. Ich hatte mich zur Verfügung gestellt, eine dieser Stipendiaten-Gruppen auf dieser Reise zu führen. Das wurde für mich zu einem unvergeßlichen Erlebnis der erfreulichsten Begegnungen. Im Laufe dieser dreiwöchigen Reise ergaben sich natürlich auch viele Gespräche über die Vergangenheit und die unglückselige Geschichte Deutschlands. Schließlich gehöre ich ja zu jener Generation, die diese Zeit mit zu tragen und in gewissem Sinne auch mit zu verantworten hatte. Und es dauerte auch nicht lange, bis diese Gespräche zu der Frage führten, welche Rolle mein Mann, Werner Heisenberg, in diesen Geschehnissen gespielt habe und warum er nicht ausgewandert sei. Die Fragen zeigten ein starkes Engagement, aber die verschiedenen, z. T. fast abstrusen Vorstellungen über die Rolle meines Mannes, die dabei zutage kamen, machten mir bewußt, wie unklar, verzerrt, ja oft wirklich falsch und widersprüchlich die Vorstellungen darüber sind, und es begann in mir die Idee zu entstehen, einmal das aufzuschreiben, was ich darüber weiß, und das Bild von Werner Heisenberg zu zeichnen, wie es in den vielen

Jahren, in denen ich sein Leben teilte und in intensivem geistigen Austausch mit ihm gelebt habe, gewachsen und nun in mir lebendig ist. Ich nahm mir vor, Heisenbergs politisches Leben und seine Auseinandersetzungen, in die ihn die verbrecherische Geschichte seines Landes gestürzt hatte, darzustellen. Es sollte keine Schönfärberei werden, und seine Schwächen und auch Fehler wollte ich nicht verbergen – aber es sollte auch aus meinen Aufzeichnungen hervorgehen, mit welcher unbeirrbaren Folgerichtigkeit und Lauterkeit Heisenberg dieses Leben gelebt hat. Alle, die ihm je nahegestanden haben, wissen davon.

Ermutigt wurde ich zu dieser Arbeit von einem Freund und Kollegen Heisenbergs, der vor den nationalsozialistischen Schergen sein Land damals hatte verlassen müssen und nach Amerika ausgewandert war. Er sagte zu mir: »Ja, schreiben Sie! Nur Sie können das Bild des Menschen Heisenberg wieder entstehen lassen, das sich überzeugend zusammenfügt mit dem Bild, das Heisenberg als wegweisender Wissenschaftler in der Welt besitzt.« Das gab mir den Mut, diese Aufzeichnungen wirklich durchzuführen. Es handelt sich dabei im wesentlichen um Erinnerungen an Werner Heisenberg, an das, was er mir erzählt hat, an gemeinsam Erlebtes, an Gespräche, die mir wegen ihrer besonderen Brisanz sehr deutlich im Gedächtnis geblieben sind. Manchmal greife ich auch zurück auf das, was andere von ihm berichtet haben, manchmal auch auf spätere Briefe von ihm. Aber es wäre ein Fehler zu erwarten, ich könnte neue beweiskräftige Dokumente haben, die nun dem Bilde von Heisenberg ganz klare und völlig neue Züge verleihen könnten. Das ist nicht der Fall. Damit berühre ich aber bereits eine fundamentale Problematik, die oft in ihrer Bedeutsamkeit nicht richtig wahrgenommen und gelegentlich wohl auch unterschätzt wird, und die doch tief in die Situation der damaligen Zeit hineinführt. Schließlich gehört es geradezu zu dem Wesen eines terroristischen Regimes, daß der einzelne sein politisches Fühlen und Denken – gerade dann, wenn es im Gegensatz steht zu der offiziellen Auffassung – nicht zu artikulieren, geschweige denn es schriftlich in Briefen oder Tagebüchern niederzulegen wagen kann, ohne sein Leben oder doch seine Freiheit aufs Spiel zu setzen. Das macht es ja so schwierig, die historische Wahrheit einzelner Menschen, die unter den Nazis lebten und agierten, eindeutig zu erfassen und die Motive ihres Lebens und Handelns zu durchschauen, und es kommt auf diese Weise so leicht zu Klischeevorstellungen und unkritischen Verallgemeinerungen.

Für alle, die diese Zeit nicht mehr miterlebt haben und sie nur aus der Retrospektive – durch Berichte anderer oder aus Büchern – kennen, mag dies womöglich ein wenig suspekt klingen, so als wollte ich etwas verbergen oder beschönigen. Sie kennen jetzt den gesamten Ablauf; die grauenvolle Wirklichkeit des Geschehens steht ihnen bei jedem Gedanken an diese Zeit vor Augen. Und es ist in der Tat schwer für sie, sich vorzustellen, wie es damals wirklich war und wie es zuging im Alltag des einzelnen in diesem so perfekt durchorganisierten System aus Terror und Verführung, mit seinen gezielten Lügen und so bösartig dosierten Schrecken, die die Menschen verängstigten. Und wie soll man sich von unserem jetzigen Leben aus ein Bild davon machen, wie diejenigen lebten, die nicht mit diesem Regime sympathisierten und nichts damit zu tun haben wollten und die trotzdem nicht völlig kapitulierten? Aber das Leben ging weiter – wenn auch Schrecken und Angst über uns allen hingen. Jeder von uns mußte sich tarnen, so gut es eben ging. Selbst unter Bekannten und entfernten Freunden war man vorsichtig, und wir sprachen nur in Andeutungen. Wie konnte man wissen, wohin weitererzählt wurde, was man so dahinredete? Und wurde das, was man sagen wollte, nicht gleich richtig verstanden, dann entstand diese unheimliche, beklommene Stille, und die Angst blieb einem womöglich noch lange in der Kehle stecken. Das war ja gerade das Bösartige der nazistischen Methode, Angst und Mißtrauen zu säen und die menschlichen Beziehungen – oft bis in ihren intimsten Bereich hinein – damit zu vergiften. Dieses abweisende, mißtrauische Schweigen, dieses mürrische, verschlossene Miteinander wurde so charakteristisch für diese Zeit.

Aber um wieviel gefährlicher war es noch, seine politischen Gedanken, Gefühle oder Meinungen schriftlich zu fixieren! Alles, was heute Heisenbergs eindeutige politische Gegnerschaft zu den Nazis beweisen könnte, hätte ihn damals – schriftlich dokumentiert – Kopf und Kragen kosten können. Heisenberg war sich darüber durchaus im klaren. Er war vorsichtig; schließlich war er nicht in Deutschland geblieben, um als Märtyrer zu sterben. Er wollte nicht in diesem sinnlosen Morden untergehen – er wollte um sein Leben kämpfen. Von seinen Gründen und Motivationen soll erst später die Rede sein. Dies alles ist der Grund dafür, daß nichts existiert, was als neuer, unwiderlegbarer Beweis für Heisenbergs politisches Alibi dienen könnte – außer eben sein Leben selbst.

Natürlich gibt es aus dieser Zeit Briefe von Heisenberg, die auch politische Inhalte haben und die seine oft schwermütige und verzweifelte Gemütslage zeigen. Solche Briefe finden sich gelegentlich an seinen Lehrer Sommerfeld in München oder auch an Niels Bohr. Diese Briefe können aber auch immer rein persönlich interpretiert werden. Es existiert aus diesen Jahren sogar ein Briefwechsel mit Sommerfeld, in dem von dem katastrophalen Verlauf der Wissenschaftspolitik die Rede ist – dazu sagt er durchaus klar seine Meinung; dennoch vermeidet er auch da jegliche allgemeine Stellungnahme. Heisenberg war davon überzeugt, daß seine Briefe überwacht und gelesen wurden. Und so feilte er oft lange an einem Satz, damit er enthielte, was er mitteilen wollte, und doch niemand ihm daraus einen Strick drehen konnte. Ich erinnere mich noch gut daran, wie er mir einmal einen Brief vorlas, an dessen Formulierungen er seinen grimmigen Spaß hatte, weil er wußte, der Überwacher konnte sie nicht durchschauen, aber der Empfänger verstand genau, was damit gemeint war. Aber selbst, wenn man dies alles weiß, ist es noch schwierig, aus diesen Briefen Heisenbergs wirkliche politische Meinung herauszulesen – denn so waren sie ja gerade konzipiert!

Ich habe also in diesen Aufzeichnungen nicht viel mehr anzubieten als meine Erinnerungen und die innere Folgerichtigkeit und Stimmigkeit dieses Lebens, die sich mir, während ich dies schrieb, immer stärker und eindringlicher mitteilte, und von der ich hoffe, sie habe die Kraft, für sich selbst zu zeugen.

Mehrere von Heisenbergs Freunden waren gegen meine Arbeit. Sie vertraten die Ansicht, daß alles Notwendige bereits in Heisenbergs Buch ›Der Teil und das Ganze‹ gesagt sei, auch in bezug auf seine politische Haltung. Warum also noch dies? Man lese sein Buch, wenn man wissen will, an was sich Heisenberg orientiert hat in dem Labyrinth unserer komplizierten Welt. Was ich jedoch hier schreiben will, ist von anderer Art als das, wovon Heisenberg geschrieben hat. Heisenberg war scheu. Es war ihm ganz unmöglich, in eigener Sache zu reden, und er meinte auch, das hätte er nicht nötig. Seine persönliche Sphäre hütete er sorgsam vor der Öffentlichkeit. So kommt es, daß er in seiner Biographie – die er als solche eigentlich auch nicht gemeint hatte – nur sehr undeutlich und mit großen Lücken über seine Person berichtet. Heisenberg schrieb in seinem Buch eben nicht über sich selbst, sondern über seine Gedanken zur Wissenschaft, zur Politik, zu Philosophie und Religion. Und er entwickelt in dem Buch, wie diese Gedanken zustande gekommen sind, aus welchen Quellen er sie geschöpft hatte. Die Texte sind geläuterte Extrakte eines ganzen gelebten Denkerlebens. Aber von ihm selbst, von seiner Person, seinen Konflikten und Problemen erfährt man nur wenig. Wichtig war ihm nur das: Er wollte das, was er als wahr erkannt hatte, weitergeben – und das hat er in seinen Büchern getan. Aber seine Person war ihm nicht wichtig genug, um von ihr viel Aufhebens zu machen. Daher bleibt in seinem Buch ein Rest, der Raum gibt für so manche falsche Spekulation und verzerrte Meinung, aber auch für Neugier und ein berechtigtes Interesse an seiner Person, deren Bild seltsam schillert zwischen Verehrung und Kritik, so daß ein Freund, der Holländer Professor Kramers, einmal zu ihm sagte, als Heisenberg ihn darüber ein wenig beunruhigt und ratlos befragte: »Ja, Heisenberg, du kennst doch deinen Schiller; im Prolog von Wallensteins Lager steht's:

Durch der Parteien Haß und Gunst verzerrt,
Schwankt sein Charakterbild in der Geschichte …
So wirst auch du in die Nachwelt eingehen!« setzte er dazu, und fröhlich lachend trennten sie sich wieder.

An dem »Rest«, der in Heisenbergs Buch bleibt, setze ich meine Aufzeichnungen an und erzähle von seiner Person, dem Menschen Werner Heisenberg, den alle liebten, die ihm nahestanden, und der sein Leben selbst bejahte und daher auch in großem Frieden davon Abschied nehmen konnte. Es ist auch diese Arbeit nur ein kleiner Beitrag zu seiner Person – es bleibt immer noch ein großer Rest. Er wird wohl immer bleiben, denn es ist schwer, seine vielschichtige Gestalt auszuloten. Ich erzähle hier nur, wie Heisenberg sich in der Politik, die so feindlich in sein Leben eingebrochen ist, verhalten hat. Diese Auseinandersetzung mit der Politik bestimmte ganz zwangsläufig einen weiten Bereich seines Lebens und erfüllte neben seiner Wissenschaft auch einen großen Teil seiner Gedankenwelt. Um sein politisches Handeln begreifen zu können, muß man aber auch den weiten Umkreis sehen, in dem seine Persönlichkeit wurzelte und aus dem heraus seine politischen Anschauungen entstanden, wuchsen und reiften. Darum werde ich auch von seiner Kindheit erzählen, seinem Elternhaus, den Freunden, der Musik und seinem geliebten Land, das er schöner fand als alles, was er auf seinen Reisen durch die Welt sah, ihm gemäß, denn da fühlte er sich hingehörig, in dieser Landschaft hatte er seine Wurzeln.

Zu den Quellen

Natürlich habe ich nicht alles, was in dieser Arbeit steht, aus meinem Gedächtnis und aus Briefen schöpfen können. Herrn Dr. Ballreich verdanke ich viel Material über den Wiederaufbau der Kaiser-Wilhelm- bzw. Max-Planck-Gesellschaft. Er ist mit einer Geschichte der Gesellschaft befaßt und hat ein reiches Material gesammelt und hat mir in mehreren Briefen so manches aus seinem Wissen zur Verfügung gestellt.

Weiter habe ich Fakten aus den Darstellungen von Armin Hermann[1] übernommen und eine oder zwei Stellen aus einem Manuskript von ihm, das dann später verkürzt in dem Buch ›Die Jahrhundertwissenschaft‹[2] erschien. Das Zitat von Albert Speer stammt aus seinen Memoiren[3]. Sehr wertvolle Informationen habe ich aus dem Buch von Herbig, ›Kettenreaktion‹[4]. In Amerika las ich das Alsos-Buch von Goudsmit[5] und die einschlägigen Stellen in dem Buch von General Groves[6], außerdem das Buch von Beyerchen, ›Scientists under Hitler‹[7], aus dem ich aber nichts zitiere.

Zitate von Heisenberg selbst stammen aus seinen Vorträgen[8] oder aus seinem Buch ›Der Teil und das Ganze‹[9] – es sei denn, ich habe sie Briefen entnommen. Die Weizsäcker-Zitate stammen teilweise auch aus unveröffentlichten Reden[10].

Allen, die mir geholfen haben in den drei Jahren, in denen dieses Buch entstanden ist, die mich ermutigt haben, es nicht in dem Dunkel der Schublade der Vergessenheit zu überlassen, danke ich sehr. Da sind vor allen anderen zu nennen Nellie und Kurt Friedrichs vom Courant Institute in New York, mit denen ich das Manuskript in unzähligen Stunden diskutierte, Professor David Nachmansohn von der Columbia University in New York, der mich in der Entscheidung bestärkte, diese Arbeit zu einem Buch werden zu lassen, Professor Victor Weißkopf, Cambridge/Mass., der mich zum Schreiben ermutigte, ebenso wie Professor Ben Kedar in Jerusalem.

Dann danke ich auch meinen Fürsprechern, Professor v. Weizsäcker und Professor Lüst, und schließlich Frau Dr. Bohnet, mit der ich das Manuskript noch einmal durcharbeitete zu beiderseitiger Freude. Ohne alle diese Hilfen wäre das Buch nie gereift. Und nun gebe ich es in die Welt – wie ein Schiff, das vom Stapel läuft, seinem eigenen Schicksal entgegen.

E. H.
München, im Mai 1980

1 Armin Hermann: Heisenberg, Reinbek 1976
2 Armin Hermann: Die Jahrhundertwissenschaft, Stuttgart 1977
3 Albert Speer: Erinnerungen, Berlin 1969
4 Jost Herbig: Kettenreaktion, München 1976
5 Samuel Goudsmit: Alsos, New York 1947
6 Leslie R. Groves: Jetzt darf ich sprechen, Die Geschichte der 1. Atombombe, Köln 1965
7 A. D. Beyerchen: Scientists under Hitler, New Haven 1977
8 Werner Heisenberg: Schritte über Grenzen, München 1971 (erweiterte Neuausgabe 1973)
9 Werner Heisenberg: Der Teil und das Ganze, München 1969
10 Carl Friedrich von Weizsäcker: Werner Heisenberg, München 1977

I. Kapitel

Kindheit und Jugend

Für Heisenbergs politisches Verhalten hat seine Jugend eine große Bedeutung. Er selbst behauptete immer, die Ereignisse der Kindheit und Jugend und die dadurch erzeugten Vorstellungen seien die fundamentalen und am stärksten wirkenden Prägekräfte des ganzen Lebens. Immer wieder käme man auf sie zurück. Bei ihm war dies zweifellos der Fall. Die vielschichtige Familie, Krieg und Revolution und die Jugendbewegung waren die großen Erlebnisse, die sein soziales und politisches Verständnis gebildet haben.

Werner Heisenberg wurde am 5. 12. 1901 in Würzburg geboren. Seine ganze Kindheit fällt also noch in die Zeit vor dem 1. Weltkrieg, in die Zeit des kaiserlichen Deutschlands und des Königreichs Bayern, in dem er aufwuchs. Unter seinen wenigen Preziosen, die er mit einem gewissen kleinen Stolz besaß, befand sich auch ein Paar goldener Manschettenknöpfe, die mit einer Krone und einem schwungvollen L gezeichnet waren. Er hatte sie als kleiner Bub von etwa elf Jahren vom Prinzregenten Ludwig (dem späteren König Ludwig III.) geschenkt bekommen, als er bei dessen Besuch im Max-Gymnasium in München ein kleines Gedicht aufsagte, das seine Mutter zu Ehren des königlichen Gastes verfaßt hatte. Seine Mutter war die Tochter des damaligen Rektors der Schule und dessentwegen und auch wegen der Liebenswürdigkeit ihrer Dichtkunst war der kleine Heisenberg zu dieser Ehre gekommen und hatte wohl mit seinen hellen, klugen Augen das Wohlwollen des hohen

Herrn erregt. In Heisenbergs Mutter mischte sich Intelligenz mit einem liebevollen, etwas kindlich gebliebenen Herzen. Sie war wie so viele Frauen ihrer Generation unter dem autokratischen Vater und dem stürmischen Temperament ihres Mannes nie zu innerer Selbständigkeit gelangt. Aber sie hat ihren beiden ›Buben‹ eine glückliche Kindheit bereitet; Heisenberg fühlte sich eingebettet in eine wohlgegründete Familie. Er erinnerte sich an seine Mutter vorwiegend als an diejenige, unter deren Schutz, an deren Hand er die ersten Blicke und Schritte in eine ihn faszinierende bunte Welt tun konnte, und war ihr immer in Fürsorge und Dankbarkeit verbunden. Eine seiner frühesten Erinnerungen, von der er immer wieder erzählte, waren die bunten Fensterscheiben des Käppele, der Wallfahrtskirche auf der Höhe über Würzburg★, durch die er die unter ihm ausgebreitete Welt jeweils in neuer Farbe und neuem Lichte sehen konnte. An diesem Phänomen konnte er sich gar nicht sattsehen, und es beschäftigte noch lange seinen erwachenden Geist.

Sein 1½ Jahre älterer Bruder war der bewährte Spielkamerad seiner Kindheit, obwohl es zwischen ihnen auch so manchen Streit auszufechten galt. Trotz seiner vorwiegend friedlichen Natur konnte Heisenberg durchaus in Zorn, ja in Wut geraten – er nannte dies später seinen »Blutrausch«, was aber eigentlich ein Plagiat von Otto Hahn war –, und die Auseinandersetzungen zwischen den Brüdern nahmen dadurch doch manchmal recht heftige Formen an. Es ist charakteristisch für beide, daß sie eines Tages beschlossen, nachdem sie mit Stühlen aufeinander losgegangen waren und sich recht empfindlich gegenseitig verletzt hatten, diese Art der Auseinandersetzung einzustellen. Sie waren damals

---

★ Ich habe die bunten Scheiben nicht wiedergefunden, als ich diesem Kindheitserlebnis nachging.

wohl 13 und 14 Jahre alt und fanden es schließlich beide sinnlos und dumm, ihre Streitereien auf diese Weise entscheiden zu wollen. So lernten sie aneinander, daß die Konflikte erfolgreicher und sinnvoller auf friedliche Weise zu lösen seien.

Der Bub wuchs heran in einer ihn umgebenden Welt, die noch intakt war. Er fühlte sich geliebt und behütet in dem weitläufigen Kreise seiner Familie. Dies, vereint mit einer glücklichen Veranlagung, entwickelte in ihm eine Grundhaltung starken Vertrauens zu den Menschen, von denen er zuerst immer das Gute annahm, eine Haltung, die trotz aller schlimmen und schrecklichen Erfahrungen sein ganzes Leben durchzogen hat. Und aus dieser Haltung heraus erklärt es sich, daß er selbst auf falsche Beschuldigungen oder gar Strafen, die er als unverdient empfand, sehr stark, fast übermäßig reagierte und zwar in einer für ihn sehr charakteristischen Weise: er zog sich in sich selbst zurück, in seine eigene Welt, in der er glücklich war, und brach jede Beziehung zu demjenigen ab, von dem er sich ungerecht behandelt fühlte. Nie ist ihm solches von seinen Eltern geschehen – diese Beziehung erschien mir immer als außerordentlich ungetrübt. Aber natürlich geschah dies doch hie und da von ferner stehenden Personen – wie es eben so geht. Als ihn einmal in seinem ersten Schuljahr ein Lehrer empfindlich mit dem Stock auf die Finger schlug, so daß sie stark anschwollen, und dies aus irgendeinem nichtigen Grund, den er gar nicht verstand, schaute er diesen Lehrer nie mehr an und verweigerte ihm jede aktive Mitarbeit, was – wie man heute noch lesen kann – in den Konferenzakten der Würzburger Schule mit großer Besorgnis vermerkt worden ist. Doch gegenüber denen, die sein Vertrauen nicht enttäuschten, öffnete er sich leicht und ohne Arg. Dann war er fröhlich, voller Einfälle und Scherze, liebevoll, bereit zu helfen und von einer selbstverständlichen Kooperation.

Im Laufe seines Lebens hatte seine eigene große Empfindlichkeit ihn wohl gelehrt, vorsichtig mit seinen Mitmenschen umzugehen. Er begegnete ihnen im allgemeinen mit Offenheit, Wohlwollen und Vertrauen – wurden aber seine Erwartungen getäuscht, reagierte er mit unwiderruflicher Ablehnung; dann brach er alle Beziehungen ab, unwiederbringlich und unerbittlich. Das geschah nicht oft, aber gelegentlich – doch es war die Ausnahme, und sein Wohlwollen und seine Behutsamkeit, mit der er den Menschen begegnete, machten ihn zunehmend zu einem fairen und geduldigen Zuhörer und Ratgeber, dem sich die Menschen gerne anvertrauten, die einfachen ebenso wie die hochgestellten, die Leute aus der Werkstatt ebenso wie Industriemanager oder Politiker. Er hatte die Gabe, das Vertrauen der Menschen zu gewinnen, und man wußte sich bei ihm gut aufgehoben.

Als Werner Heisenberg acht Jahre alt war, zog die Familie nach München. Von da an war München seine erklärte und geliebte Heimat. Mit dieser Übersiedlung fand eine erste Lebensphase ihr Ende – eine neue, selbständigere und expansivere Lebensphase begann. Zwar zog die Familie in eine Etagenwohnung eines der großen Mietshäuser der Hohenzollernstraße in Schwabing, und der Junge spürte empfindlich das »Eingesperrtsein« als einen Verlust; es fehlte ihm der strömende Fluß mit seinem Leben und seiner geheimnisvollen Weite, es fehlten ihm die sanften grünen Hügel und der nahe Wald – der Luitpoldpark war nur ein karger Ersatz dafür. Aber ein weiteres, farbigeres Leben begann nun. Neue Menschen traten in seinen Gesichtskreis, neue Anregungen boten sich seinem lebendigen Geist, neue Interessen und Projekte beschäftigten ihn. Da ihm die Schule leicht fiel, hatte er genug Zeit, diesen Projekten nachzugehen. Er bastelte und handwerkte gerne; zusammen mit seinem Bruder baute er ein großes Kriegsschiff, ¾ Meter lang, mit kleinen selbstgebauten Kanonen bestückt, die wirklich schießen konnten und elektrisch gezündet wurden, für die damalige Zeit ein kleines Kunstwerk an Technik. Er zeigte es mir bei meinem ersten Besuch in der elterlichen Wohnung noch immer mit bubenhaftem Stolz. Aber mehr als das verlieh die Musik seinem Leben nun eine ihm bislang unbekannte Intensität. Er hatte es im Klavierspielen schnell zu einer gewissen Fertigkeit gebracht, die ihm schon mit 13, 14 Jahren den Zugang zu der großen Musikliteratur ermöglichte. Und da er mit großer Sicherheit vom Blatt spielte, wurde er bald ein begehrter Kammermusiker, und Duos, Klaviertrios und Klavierquartette öffneten ihm ihren schier unerschöpflichen Reichtum. In diesen Jahren erwog er des öfteren, ob er nicht Musiker werden sollte.

Doch im Grunde war damals schon sein Lebensweg entschieden, denn in der Welt der Zahlen und ihrer Gesetzmäßigkeiten, in dem Reichtum der naturwissenschaftlichen Ideen, die er mit fast spielerischer Leichtigkeit in sich aufnehmen konnte, bewegte er sich mit nie versiegender Faszination. »Ich war so eine Art Wunderkind«, sagte er mir ein klein wenig geniert. Mit 14 Jahren bereitete er eine Freundin der Familie, die ihren Doktor in Chemie machen wollte, auf die dazu notwendige mathematische Prüfung vor.

Aber als er noch keine 13 Jahre alt war, brach der 1. Weltkrieg aus, und dies Ereignis setzte seiner glücklichen, sorglosen Kindheit sehr bald ein fühlbares Ende. Heisenbergs Vater wurde als Hauptmann der Reserve sofort nach Kriegsausbruch eingezogen; er ging in den Krieg – jedenfalls erlebte es der Sohn auf diese Weise –, wie wir es manchmal noch in den alten Bilderbüchern sehen: auf einem kräftigen Streitroß, mit blankem Helm, in einer schmucken Uniform und mit einem langen Säbel an der Seite. Der Vater hatte den Auftrag erhalten, Osnabrück, seine Heimatstadt, wo er auch seinen Wehrdienst abgeleistet hatte, vor feindlichen Fliegern zu schützen. Ein Soldat mit aufgebautem Maschinengewehr wurde auf dem Dach des höchsten Gebäudes in Osnabrück postiert und hatte die Aufgabe, sich nähernde feindliche Flieger damit abzuschießen. So sah der Anfang des 1. Weltkrieges aus.

Die Familie brachte den Vater nach Osnabrück. Auf dieser Reise erlebte der 12jährige Junge mit großer innerer Erregung die allerorts ausbrechende Begeisterung der Menschen beim Aufbruch in den Krieg. Auf jedem Bahnhof bot sich ihm dasselbe Bild: jubelnde Menschenmassen, weinende Frauen, singende, mit Blumen überschüttete Männer. Heisenberg schilderte mir später oft, wie unheimlich, rätselhaft und erregend ihm sich dies alles mitteilte. Zogen denn diese Menschen nicht in den Krieg, in Tod und Verderben? Er spürte den Widerspruch. Aber er fühlte auch deutlich dieses gesteigerte Lebensgefühl, das die Menschen ergriffen hatte, die Bereitschaft der Hingabe an etwas, was größer war als ihr eigenes kleines, enges Leben und was sie aus der Stumpfheit der täglichen Mühsal herausriß in größere Zusammenhänge, die sie zwar nicht durchschauten, aber die mit dem Ruf: »Für Kaiser und Vaterland!« vage umrissen wurden. Heisenberg hat immer wieder über dieses Erlebnis nachgedacht und darüber philosophiert. Auch in seiner Biographie ›Der Teil und das Ganze‹ schreibt er darüber. Es wurde in gewissem Sinne zu einem Schlüsselerlebnis für sein ganzes späteres Leben.

Nur zu bald wurde die tödliche und Verderben bringende Wirklichkeit des Krieges für den jungen Heisenberg zu selbsterlebter Realität, denn sein geliebter Vetter aus Osnabrück, sein bester Freund und Spielkamerad, nur um weniges älter als er selbst, hatte sich mit eben dieser großen Begeisterung als Kriegsfreiwilliger an die Front gemeldet, und kurze Zeit später hielt die Familie die Nachricht seines Todes in den Händen. Und dessen älterer Bruder – auch er ge-

hörte zu den engsten Freunden seiner Kindheit –, der eingezogen und mit Blumen geschmückt ausgezogen war, kehrte
an seinem ersten Urlaub nach Hause zurück als völlig verän-
derter Mensch. Sein fröhliches Wesen war von gräßlichen
Bildern verdüstert. Der junge Heisenberg erfuhr dies beides
mit großem Schrecken, und unabweisbar meldete sich in
ihm Skepsis, und es kam eine Entwicklung in ihm in Gang,
die dahin führte, daß er sich fragte, ob es überhaupt irgendwelche politischen Ziele geben könnte, die solche Opfer zu
rechtfertigen vermöchten. Heisenberg ist nie ein echter Pazifist gewesen; aber er verabscheute den Krieg aus tiefstem
Herzen. Er glaubte nicht daran, daß der Krieg ausrottbar
sei, daß es eine Welt ohne Krieg geben könnte. Er war überzeugt davon, daß ein Pazifist von vornherein zum Scheitern
verurteilt sei, und er nannte mir später einmal Einstein in
diesem Zusammenhang, der wirklich ein überzeugter und
glühender Pazifist gewesen und schließlich doch bei Roosevelt für den Bau der Atombombe zum Einsatz gegen die
Deutschen eingetreten sei.

Heldenhafte Soldatenbücher lehnte Heisenberg als un-
wahr ab – aber er wehrte sich auch gegen den Zynismus,
mit dem oft der Soldat als jämmerliches Stückchen Dreck
dargestellt wurde, der dumm genug war, sich von den
Machthabern mißbrauchen zu lassen. Das empörte ihn,
denn ihm hatte sich eher die andere Seite dargestellt, und er
verstand schon sehr früh die Tragödie des Krieges, dieses
tragischen Gegensatzes zwischen dem Menschen, der den
echten Einsatz seines Lebens leistet und in gewisser Weise
über sich selbst hinauswächst in Opferwilligkeit und Lei-
densbereitschaft, und dem berechnenden militärischen und
politischen Kalkül, das mit diesem Einsatz operiert und ihn
nur zu oft gewissenlos mißbraucht, ein Gegensatz, der dann
im 2. Weltkriege zu schrecklicher Perversion gesteigert
wurde.

In der Auseinandersetzung mit dieser Problematik schärfte sich sein Urteilsvermögen. Die starken Emotionen beim Aufbruch in den Krieg und seine bedrückende, schreckliche Realität wirkten in ihm fort und lehrten ihn, zwischen dem gesteigerten Lebensgefühl des einzelnen und unkritischen, gefährlichen Rauschzuständen zu unterscheiden; diese verabscheute er tief, was ihn auch völlig immun machte gegen alle Massenbegeisterung und Massenverführung, die er später erlebte, als Hitler sich die Massen für seinen Umsturz gewann; aber er hatte auch verstanden, daß nur mit dem ganzen eigenen Einsatz eine hohe Lebensintensität zu erreichen ist, die ihm besser und erstrebenswerter dünkte als jeder noch so verlockende sinnenvolle Lebensgenuß. Ein Lieblingsvers waren für ihn stets die Zeilen aus Schillers ›Wallensteins Lager‹: »Und setzet ihr nicht das Leben ein / Nie wird euch das Leben gewonnen sein.« Im Laufe seines Lebens stilisierte sich dann dieses Lebensgefühl für ihn in der Lebensregel: »Was du tust, tue mit deinem ganzen Einsatz, nur dann kann etwas daraus werden und dich auch wirklich freuen.« – Wie oft habe ich dies von ihm gehört! In seiner Wissenschaft drückte er es so aus: »Man muß eben auch im harten Holz bohren können und auch da weiterdenken, wo das Denken anfängt wehzutun.« Hier erschloß sich ihm die Steigerung der Lebensintensität immer wieder von neuem bis hinein in sein Alter.

Im übrigen erlebte Heisenberg den Krieg als eine Zeit schwerer Entbehrungen, eine Zeit des Hungerns und der Not. Mit 16 Jahren stürzte er mit seinem Fahrrad vor Erschöpfung und Schwäche in einen Straßengraben. Daraufhin meldete er sich zum Kriegshilfsdienst als Knecht auf einem Bauernhof in Miesbach, Oberbayern. Dort mußte er hart arbeiten und bekam eine außerordentlich einfache Kost, die ihn aber wieder zu Kräften brachte. Die Erfahrungen, die er dort auf dem Bauernhof machte, wurden ihm zu einem neuen Erlebnis, das ihn stark prägte. »Dort habe ich arbeiten gelernt!«, pflegte er später immer wieder seinen Kindern zu sagen. Er lernte anzupacken, Ausdauer, die eigenen Kräfte gezielt und rationell einzusetzen, um den größten Nutzeffekt zu erreichen. Schwere körperliche Arbeit war ihm seither vertraut, ja, er tat sie gerne; und es machte ihm Freude und bereitete ihm körperlichen Genuß, später in seinem Häuschen am Walchensee eigenhändig Bäume zu fällen und sie auch aufzubereiten. Aber vor allem lernte er in jener Zeit, in der er als richtiger Knecht in der Landwirtschaft arbeitete, den Umgang mit Menschen, deren Leben von einfacher, körperlicher Arbeit bestimmt war. Seit dieser Zeit war er gefeit gegen intellektuelle Überheblichkeit, und die Vorurteile des Bürgerlichen gegenüber dem Arbeiter existierten für ihn nicht.

Die Zeit auf dem Großthaler Hof in Miesbach allein wäre sicherlich nicht so fruchtbar geworden, sondern eher eine unwichtige Episode geblieben, hätte nicht auch seine Familie ihre Wurzeln in einer sozialen Schicht gehabt, die sehr verschieden war von der bürgerlich-akademischen Welt, in der Heisenberg in München groß wurde. Die Heisenbergs stammen aus Osnabrück, aus einer alten Handwerkerfamilie. Der Großvater war ein gediegener, angesehener Schlossermeister, der ein kleines Häuschen in der Lohstraße bewohnte. Seine Frau stammte von einem Bauernhof der Umgebung. Dort in Osnabrück war Heisenberg als Kind oft in den Ferien. Er liebte diese schlichte Welt, sie war seine zweite Heimat. Er bewunderte den Großvater, einen ruhigen und gelassenen Menschen, der trotz seiner groben Arbeit im Kreise der Familie immer weiße und feine Hände hatte – das schien ihm ein Spiegelbild seines Wesens zu sein. Er liebte auch die Familie, die sich um dieses großelterliche Haus ordnete, das Solide, Festgefügte dieser einfachen Welt, die strengen Wertvorstellungen, nach denen man lebte, dieses Leben ohne Überfluß, in Sparsamkeit und Fleiß, aber auch in Behaglichkeit und voll von einfachen Freuden. Die Schwester des Vaters, die die Osnabrücker Schloßgärtnerei leitete, übte in ihrer klaren und bestimmten Würde großen Einfluß auf ihn aus. Dort war er tief verankert, und er fühlte sich dieser Welt, solange sie bestand, tief verbunden. Diese Verankerung hat zweifellos auch seine Vorstellungen und Überzeugungen geprägt, aus denen später seine politischen Entscheidungen erwachsen sind.

Um aber den politischen Nährboden wirklich zu verstehen, in dem er aufwuchs, ist es nötig, vor allem noch mehr über den Vater zu sagen, der auf den Sohn einen so großen Einfluß ausgeübt hat, trotz aller Verschiedenheiten, die diese beiden Menschen auch voneinander trennten. Sie waren beide starke Persönlichkeiten; August, der Vater, war von stürmischem Temperament, eher unausgeglichen, mitreißend fröhlich oder auch aufbrausend zornig und gelegentlich depressiv. Werner, der Sohn, ähnelte im Temperament eher der Mutter. Er war ausgeglichen, ein fröhlicher, in sich ruhender Junge. Er mied den Streit; wenn sich die Schulbuben prügelten, ging er einen anderen Weg, um nicht in ihre Streitereien hineingezogen zu werden. Ein intensives und elementares Gefühl und auch Bedürfnis nach Harmonie war ihm Quelle für Lebensfreude und inneres Engagement. Und dieses Gefühl für Maß und Harmonie verlieh ihm schon als Kind Besonnenheit und ein sicheres Gefühl in der Unterscheidung von fröhlichem und mutigem Spiel und waghalsiger, extremer Angeberei, der er, wo er ihr begegnete, aus dem Wege zu gehen trachtete.

August Heisenberg, der Vater, hatte eine ungewöhnliche Karriere gemacht. Auf Anregung des Pfarrers, der in dem Knaben früh die starke Begabung erkannte, kam er auf die höhere Schule, machte sein Abitur und studierte anschließend in München alte Sprachen. Nach seiner Promotion wurde er Lehrer an einem Gymnasium in Würzburg, und man bescheinigte ihm dort ein hohes pädagogisches Talent. In Würzburg habilitierte er sich neben seiner Schultätigkeit und wurde nicht lange danach an die Münchner Universität berufen, wo er den einzigen Lehrstuhl für Byzantinistik, den es damals in Deutschland gab, bis zu seinem Lebensende innehatte. Sein Name ist in der Fachwelt auch heute noch bekannt und geschätzt. München war August Heisenbergs Wahlheimat, dort hatte er studiert, dort hat er geheiratet, dort fand er Nahrung für seine vielfältigen, besonders musikalischen Interessen, dort setzte er sich fest. Er hatte eine schöne, volle Stimme und mit seinem begeisterungsfähigen Temperament liebte er es, Arien und Lieder zu singen, und es war eine seiner größten Freuden, daß sein Sohn Werner ihn schon so bald auf dem Klavier begleiten konnte.

Der Vater war ein Patriot, wie man es in der Zeit vor dem 1. Weltkrieg in den bürgerlichen Kreisen eben war. Aus dem Handwerkerstand in die bürgerliche Welt aufgestiegen, respektierte er die bürgerlichen Ideale und ihre Ordnungen. Es war ihm selbstverständlich, sich als Deutscher zu fühlen und im Kriege seine »vaterländische Pflicht«, wie man damals sagte, auf sich zu nehmen. Sie war ihm eine lebendige Realität. Trotz dieser nationalen Komponente hatte er einen sicheren Sinn für die moralische Qualität in der Politik, und schon in der Anfangszeit des Erscheinens von Hitler auf der politischen Bühne, in den frühen 20er Jahren also, warnte er seine beiden Söhne vor diesem »Wirrkopf und Verführer«. »Laßt euch niemals mit diesem Hitler ein!«, hat er schon damals seinen Söhnen immer wieder gesagt. In gewisser Weise war es ein Glück, daß er die Übernahme der Regierung durch Hitler nicht mehr erlebt hat. Sein Temperament und seine tiefe Ablehnung des Nationalsozialismus hätten ihn gewiß in die größten Gefahren gebracht; er hatte nichts von der Vorsicht des Sohnes. August Heisenberg starb 1930 an einem Typhus, den er sich auf einer Studienreise nach Saloniki geholt hatte.

Zu der Zeit des Kapp-Putsches in München muß es gewesen sein, daß der Vater einer jüdischen Familie mit dem Namen Levi, die in dem Hause in der Hohenzollernstraße über den Heisenbergs wohnte, eines Tages bei dem Vater Heisenberg erschien und ihn bat, ein Säckchen mit Edelsteinen zu bewahren, bis der antisemitische Sturm sich gelegt habe. Vater Heisenberg war etwas bestürzt über dieses Ansinnen und dieses Maß an Vertrauen und fragte, ob denn wenigstens eine Aufstellung aller der Werte in diesem Säckchen vorhanden wäre. Nein, das sei nicht nötig, war die Antwort; »wir vertrauen Ihnen ganz!« Natürlich erhielt Herr Levi dann später das Säckchen zurück, und niemand hat je gesehen, was darin war, und sein Besitzer konnte damit auswandern und in einem toleranteren Lande einen neuen Anfang machen. Dies ist erzählt, um zu zeigen, wie sich politische Gesinnung bei August Heisenberg auf der rein menschlichen Ebene manifestierte. Der alte Levi wußte genau, daß der Vater Heisenberg von keiner Ideologie zu blenden war; er konnte mit Sicherheit auf ihn vertrauen. Und diese unbestechliche Menschlichkeit hat der Sohn vom Vater als wichtigstes Erbe übernommen. Auch in ihm hatte Ideologie nie einen Boden, weder die der Rechten noch die der Linken. Die innere Beschränktheit einer jeden Ideologie, der mit ihr verbundene Fanatismus und die daraus resultierende Unmenschlichkeit waren ihm tief zuwider. Sein Charakteristikum war seine innere Freiheit, seine gänzliche Unabhängigkeit von gängigen Meinungen. Er traute im wesentlichen nur seinem eigenen kritischen Urteil und fühlte sich nur diesem verpflichtet. »Er aber wollte sich selbst überzeugen!« – dies war eines der Epitheta, die die Familie ihm gegeben hatte und die so charakteristisch für ihn waren. – Im Grunde war ja auch dies eines der Geheimnisse seines wissenschaftlichen Erfolges; das wird deutlich in dem, was er einmal in einer Rede an die Humboldt-Stipendiaten gesagt hat: »Wer sich der Wissenschaft verschrieben hat, der hat sich ja schon innerlich entschlossen, keine Denkweise unbesehen kritiklos hinzunehmen, sondern immer wieder zu zweifeln, zu prüfen und jedem Gegenargument gegenüber offen zu bleiben.« Diese innere Freiheit und Unabhängigkeit war ein Wesenszug, der sich schon sehr früh in ihm zeigte, und dieser gab ihm die Möglichkeit, in schwierigen Situationen unvoreingenommen und menschlich zu handeln.

Der junge Heisenberg war von frühester Jugend an außerordentlich engagiert in mathematischen Fragen – das ist allgemein bekannt. Zuerst war es wohl bei ihm ein eher »sportliches« Interesse, mathematische Probleme verstehen und lösen zu können. Aber schon sehr früh traten philosophische Fragen, die mit der Mathematik verknüpft sind, in sein Bewußtsein. Er schildert dies sehr bildhaft in dem ersten Kapitel seiner Biographie. Neben Erkenntnistheorie und Relativitätstheorie war es vor allem das Buch von Weyl ›Raum, Zeit und Materie‹, das ihn fesselte, so sehr, daß ihn Professor Lindemann, der Mathematiker an der Münchner Universität, den er ratsuchend nach dem Abitur aufgesucht hatte, als »schon für die Mathematik verdorben« ablehnte. Professor Sommerfeld hat dann diese Kombination von Interessen fruchtbar auf die Physik gelenkt.

Diese starke Involviertheit in den allgemeinen Fragen der Naturwissenschaft hat in dieser frühen Zeit sicherlich hemmend auf seine Aufmerksamkeit für das politische Geschehen gewirkt und vielleicht ein waches politisches Bewußtsein nicht aufkommen lassen. Er war im Grunde ein unpolitischer Mensch. Sein Freund Carl Friedrich von Weizsäcker hat in einem Nachruf dies sehr genau formuliert: »Er war«, so sagte er, »in erster Linie spontaner Mensch, dem nächst genialer Wissenschaftler, dann ein Künstler, nahe der produktiven Gabe, und erst in vierter Linie, aus Pflichtgefühl, ›homo politicus‹.«

In seinen frühen Jahren hat Heisenberg weitgehend die politische Haltung des Vaters übernommen. Von daher ist es auch zu verstehen, daß er sich fast reflektionslos während der Räterevolution in die Reihen der Regierungstruppen einreihen ließ. Er war damals 17 Jahre alt. In seiner Erinnerung stellte diese Zeit eine seltsame Mischung dar aus aufregendem und auch ziemlich gefährlichem »Kriegsspiel« und aufwühlenden kurzen Einblicken in eine rauhe und schreckliche Wirklichkeit. In seiner Rückerinnerung erschöpfte sich die Seite des »Soldatenspiels« in der »Eroberung« von Fahrrädern oder Schreibmaschinen aus »roten« Verwaltungsquartieren und ähnlichen Abenteuern. Von den schlimmen Erfahrungen sprach er selten. Er war dabei, als sich ein Junge, kaum älter als er, beim Putzen seines Gewehres aus Versehen erschoß und unter Schreien und Qualen starb. Und er mußte eine Nacht lang einen älteren Mann bewachen, den man als »Roten« gefangengenommen hatte und der am nächsten Tag abgeurteilt werden sollte. Jedermann wußte, was das bedeutete. In dieser Nacht hat er sich das ganze Leben dieses Menschen erzählen lassen und war am Ende von der Unschuld des Mannes überzeugt. Hier – so fühlte er – stand er zum ersten Mal einer wirklichen menschlichen Tragödie gegenüber, die ihn tief berührte, und er spürte, daß er Mitverantwortung für das Schicksal dieses Menschen trug. Es ist typisch für ihn, daß er am nächsten Morgen alle seine Möglichkeiten aufbot, um den Mann freizubekommen. Es gelang ihm, bis an den Hauptmann heranzukommen und ihm klarzumachen, daß er diesen Mann wieder freilassen müsse. So rettete er ihm sein Leben. Hier finden wir zum ersten Mal diesen Zug, der uns auch schon beim Vater begegnet war, daß politisches Handeln sich für ihn in diesem inneren Freiheitsraum abspielte und sich politische Gesinnung erst in dem humanen Bereich wirklich manifestiert. Daraus ist auch sein später so bekannt gewordenes Wort zu begreifen: »Den Wert einer Politik erkennt man nicht an ihren Zielsetzungen, sondern an ihren Mitteln.« Im Grunde ist in diesem Ereignis aus der Revolutionszeit in München bereits seine ganze politische Haltung eingeprägt und erkennbar.

Zum Verständnis seiner späteren politischen Haltung muß man noch eine andere Seite seiner Jugenderlebnisse kennen, die gerade für seine Entscheidung, in Deutschland zu bleiben, von grundsätzlicher Bedeutung geworden ist. Das ist seine Begegnung mit der Jugendbewegung, in deren unbeschwerter Freiheit, zusammen mit gleichgesinnten, fröhlichen Menschen, er die glücklichsten und tiefgreifendsten Erfahrungen seines frühen Lebens machte.

Die Jugendbewegung brachte in Heisenbergs Leben zwei neue Dimensionen: die Natur und die Freundschaften. Wie es begonnen hat, erzählt er selbst in seinem Buch ›Der Teil und das Ganze‹, im 1. Kapitel: »Da geschah es eines Nachmittags, daß ich auf der Leopoldstraße von einem mir unbekannten Jungen angesprochen wurde: ›Weißt du schon, daß sich in der nächsten Woche die Jugend auf Schloß Prunn versammelt? Wir wollen alle mitgehen, und du sollst auch kommen. Wir wollen uns jetzt selbst überlegen, wie alles weitergehen soll.‹ Seine Stimme hatte einen Klang, den ich bis dahin nicht gehört hatte. So beschloß ich, nach Schloß Prunn zu fahren.« So weit er selbst. Und dann schildert Heisenberg dieses Treffen auf der romantischen Burg, die hoch über dem Altmühltal liegt, in der über die tiefsten Probleme der Welt geredet wurde, wie man es damals tat, mit einem Pathos, das man heute tunlichst vermeidet und in das auch Heisenberg nicht einstimmte. Trotzdem war er bewegt und hingerissen von der Intensität der Stunde, in der sich jugendliches Wollen und Kraft, Natur und Musik in so einzigartiger Weise verbanden. Für Heisenberg war das Erlebnis der Jugendbewegung zweifellos mit viel Romantik durchmischt. Das Leben im Wald, am Lagerfeuer, mit Musik und Singen alter schöner Lieder war verbunden mit direktem, stark empfundenem Naturerlebnis: Man wanderte durch das weite Land, erlebte die Frische des Morgens, schlief unter freiem Himmel oder in der Scheune eines Bauern, dem man dann zum Dank beim Misten der Ställe oder beim Heumachen half. Es war ein Ausbrechen aus dem Elternhaus, nicht allzuweit entfernt von dem, was auch ein Teil der heutigen Jugend versucht: einfaches, nicht von der Zivilisation verbogenes Leben ohne Zwänge toter Konventionen. Auch damals war es ein Ausbrechen aus der Norm der bürgerlichen Enge, und es ist verständlich, daß Heisenbergs Vater darauf geradeso kritisch und sorgenvoll reagierte wie heutige Väter auf das Ausbrechen ihrer Kinder aus der Norm.

Heisenberg hat viele Jahre hindurch eine Pfadfindergruppe geleitet. Wie es dazu kam, hat mir später einer erzählt, der zu dieser Gruppe gehörte. Er schilderte mir, wie zwei Brüderpaare und einige Freunde dazu im Schulhof des Max-Gymnasiums über die Möglichkeit sprachen, eine Wandergruppe aufzutun. Man beriet darüber, wer denn die Führung der Gruppe übernehmen könnte. »Seht ihr den Jungen dort drüben?« sagte einer, »der ist der Beste, auf den kann man sich verlassen.« Und sie einigten sich schnell darauf, daß sie den Werner bitten wollten, ihr Anführer zu sein. Sie hatten sich nicht getäuscht; es wurde daraus Freundschaft für das ganze Leben, Freundschaft, die, durch tiefgreifende Erlebnisse erprobt, alle turbulenten Zeitläufe überdauerte. Aus diesem Kreis ist später nur ein einziger Junge zu den Nationalsozialisten gestoßen, was ein sehr kleiner Prozentsatz ist!

Die Jugendbewegung hatte zweifellos auch durchaus politische Züge. Der Wandervogel in Norddeutschland, insbesondere in Berlin, war stark von – wie wir damals sagten – »edelkommunistischen« Zügen geprägt, und die internationale Solidarität spielte in ihm eine nicht unerhebliche Rolle. In Süddeutschland, bei den Pfadfindern, zu denen sich Heisenberg zählte, gab es auch einen linken Flügel, aber die Gruppierungen, die eher einen nationalen, völkischen Charakter trugen, überwogen hier stark. Heisenberg stand gerade dieser politischen Seite der Jugendbewegung durchaus skeptisch gegenüber. Seiner Vorstellung nach sollte die Jugendbewegung von jeder politischen Agitation freigehalten werden. Er war der Ansicht, in einer durch keine Ideologie verengten Atmosphäre könnte es wohl am ehesten gelingen, lebendige und vorurteilsfreie Menschen heranzubilden, die dann auch zu reifen politischen Urteilen und Entscheidungen fähig sein würden.

Einmal ist auch er dem völkischen Zweig der Jugendbewegung begegnet, in dem die Buben ihre Gefolgschaft durch harte Mutproben beweisen und mit germanischen Treueschwüren bekräftigen mußten und wo von einem neu erstarkten großen deutschen Reiche geträumt wurde. Davon hat sich Heisenberg mit seiner Gruppe sofort, nach einigen erregten Auseinandersetzungen, wieder losgesagt und ist mit all seinen Buben mitten aus der Versammlung – ich glaube, sie fand im Fichtelgebirge statt – im Protest abgezogen. Seitdem hat er sich von diesen Gruppen immer ferngehalten. Ja, in seiner Studentenzeit wandte sich Heisenberg eher den sozialistischen Kreisen der Jugendbewegung zu, die ihre stärksten Aufgaben in neuen pädagogischen Impulsen sahen.

Es war nach dem 1. Weltkrieg eine große Bewegung entstanden, die sich zum Ziele gesetzt hatte, das ungebildete Volk, die Arbeiter, auch an den Kulturgütern seines Landes teilnehmen zu lassen. Den revolutionären Charakter dieser Bewegung kann man sich heute kaum mehr vorstellen. Aus den höheren bürgerlichen Schichten wurden die jungen Leute Volksschullehrer, was damals eine mutige Absage an alle traditionellen Vorstellungen bedeutete und großen Aufruhr verursachte. Diese jungen Idealisten wollten Musik und Wissen, Kunst und Literatur in die Volksschulen hineintragen, nicht als Konsumgüter, sondern als eine kreative Wirklichkeit, so daß die verkümmerten geistigen Kräfte gerade der untersten Schichten frei werden und sich aktiv entfalten und entwickeln könnten. Die Hoffnung war, dadurch die Arbeiterklasse zu einer größeren politischen Mündigkeit, zu Selbständigkeit und Urteilsfähigkeit führen und die tiefe Kluft zwischen den Ständen verringern zu können. Zu den stärksten pädagogischen Experimenten der damaligen Zeit gehörte die Idee der Erwachsenenbildung und die Gründung von Volkshochschulen. Heisenberg war begeistert von dieser Idee; sie paßte genau in seine eigenen Vorstellungen, und er stellte sich der Münchner Volkshochschule sofort zur Verfügung. Dort gab er astronomische Kurse für Arbeiter, und nachts zog er mit seinen interessierten Hörern hinaus aus der Stadt und erklärte ihnen den Sternenhimmel mit seinen faszinierenden Geheimnissen. Ein andermal – doch das empfand er später immer ein wenig als Hochstapelei – hat er zusammen mit einer sangeskundigen Musikstudentin versucht, den Arbeitern die Schönheiten der Mozartschen Opernwelt nahezubringen. Da dies alles mit viel unbekümmerter Begeisterung geschah und er schon damals ein ausgezeichneter Klavierspieler war, wurde offenbar selbst dieser Kurs zu einem Erfolg. Heisenberg war von der Offenheit und dem Engagement seiner Zuhörer, die zum größten Teil aus Leuten bestanden, die ausgehungert nach geistiger Nahrung aus dem Kriege zurückgekommen waren, tief beeindruckt, und er fühlte sich zeit seines Lebens gerade auch diesen Menschen gegenüber verpflichtet. Sie gehörten zu dem menschlichen Raum, in dem seine politischen Entscheidungen und Handlungen wurzelten und heranreiften.

II. Kapitel

Erste Konflikte mit der Politik

Es war im Jahr 1922, daß Heisenberg zum erstenmal mit politischen Problemen konfrontiert wurde, die ihn unmittelbar selbst betrafen. In dem Sommer dieses Jahres ermöglichte ihm sein Lehrer Sommerfeld, auf einer Versammlung der Deutschen Naturforscher und Ärzte in Leipzig einen Vortrag von Einstein anzuhören. Beim Eintritt in den Saal, in dem Einstein reden sollte, wurde ihm ein Flugblatt in die Hand gedrückt, in dem gegen den »Juden« Einstein auf hetzerische Weise polemisiert wurde. Mit seinen zersetzenden, artfremden Spekulationen, so hieß es dort, verfremde er die einfache, klassische Physik. Als Heisenberg erfuhr, daß dieses Pamphlet von Philipp Lenard ausging, einem weltberühmten Physiker, der für seine frühen Arbeiten den Nobelpreis erhalten hatte, stürzte für ihn eine Welt zusammen. Er hatte bisher in dem Vertrauen gelebt, daß die Wissenschaft allein von dem Streben nach Wahrheit und Erkenntnis bestimmt und von politischen Machenschaften frei sei. Daß hier wissenschaftliche Wahrheit mit politischen Mitteln bekämpft werden sollte, erschütterte ihn tief. Er selbst beschreibt seine Reaktion in dem 4. Kapitel seines Lebensbuches als sehr emotional, ihn mehr verwirrend und bedrückend als aktivierend. Er war so sehr beunruhigt, daß er nicht einmal wahrnahm, daß der Mann, dessen Vortrag er dort gehört hatte, gar nicht Einstein war, der wegen der antisemitischen Hetze abgesagt hatte, sondern von Laue; Heisenberg kannte damals beide noch nicht – und er fuhr tief erschrocken und bedrückt über das, was er dort erlebt hatte, noch in derselben Nacht nach München zurück, ohne auch nur den Versuch zu machen, mit dem Redner in Leipzig in Kontakt zu kommen. Da ihm an diesem Tage auch noch seine Habseligkeiten in dem billigen Quartier, das er in Leipzig bezogen hatte, gestohlen worden waren, verdingte sich Heisenberg erst einmal als Holzfäller im Forstenrieder Park, um das Geld zu verdienen, das er für den Ersatz seiner Sachen brauchte, aber auch, um seiner Erregung Herr zu werden und sich über das Erlebte Klarheit zu verschaffen. Seitdem galt es für ihn, daß eine politische Bewegung, die mit solchen Mitteln arbeitet, au fond unmoralisch sei und für ihn nicht mehr die geringste Überzeugungskraft besitzen könnte – das war hiermit besiegelt. Aber zu einem aktiven Eingreifen, einem eigenen politischen Engagement kam es damals noch nicht.

Diese politische Inaktivität muß man auf dem Hintergrund seiner wissenschaftlichen Kreativität sehen und der dramatischen Entwicklung, in der sich damals die Physik befand. Sie war – wie dies oft beschrieben worden ist – in jenem Zustand äußerster Labilität, in dem eine Unzahl von wissenschaftlichen Problemen die Gemüter einer jungen Garde naturwissenschaftlicher Talente in Bewegung setzte. Je tiefer die Einblicke waren, die sich in die Welt der kleinsten Bausteine der Materie auftaten, um so dringlicher schoben sich die scheinbar so unbegreiflichen und unauflöslichen Widersprüche zu den Gesetzen der klassischen Physik in den Vordergrund. Für eine Begabung, wie Heisenberg es war, war dieser Zustand der Wissenschaft von höchster Faszination. Sein Lehrer, Arnold Sommerfeld, hatte diese Faszination zu nutzen verstanden. Er hatte seinen jungen, begabten Schüler von Anfang an immer wieder mit den zentralen Problemen der modernsten Atomphysik konfrontiert. Und nun, im Juni 1922, schickte er ihn nach Göttingen, wo der

1 August Heisenberg, der Vater, Professor für Byzantinistik in München

2 Die Familie Heisenberg (etwa 1906) bei einem Ausflug in die Umgebung von Würzburg (oben)

3 Der Vater mit seinen beiden Söhnen Erwin, dem Älteren, und Werner (1914) (unten)

4 Arnold Sommerfeld, Heisenbergs Lehrer in theoretischer Physik in München (links oben)

5 Werner Heisenberg 1927 (Aufnahme von Fritz Hund) (rechts oben)

6 Max Born mit Heisenberg 1947 (links unten)

7 Niels Bohr (rechts unten)

8 Heisenberg bei seiner Antrittsvorlesung in Leipzig (1927) (oben)

9 Die Konferenz in Kopenhagen 1930; 1. Reihe Oscar Klein, Niels Bohr, Werner Heisenberg, Wolfgang Pauli, George Gamow, Lev Landau, Hans Kramers (unten)

dänische Physiker Niels Bohr eine Reihe von Vorträgen über sein Atom-Modell und die damit verbundene Problematik halten sollte. Niels Bohr galt mit dem großen Kreis junger, begabter Physiker, den er aus aller Welt um sich gesammelt hatte, als das unbestrittene Zentrum, in dem wissenschaftliche Pionierarbeit auf dem Gebiet der modernen theoretischen Atomphysik geleistet wurde. Nun hatte Heisenberg, der kaum 21 Jahre alt war, die Gelegenheit, diesen damals schon weltweit berühmten Meister seines Faches hören und erleben zu können.

Heisenberg war sofort von Bohrs Persönlichkeit tief beeindruckt. Noch nie hatte er einen Menschen erlebt, dessen Worte so viel innere Konsistenz und Tiefe verrieten. In den ›Erinnerungen an Niels Bohr‹, einem Vortrag, den er in Kopenhagen hielt, als er 1964 die Niels Bohr-Medaille erhielt, erinnerte er sich an diese erste Begegnung und sagte: »Voll jugendlicher Spannkraft, aber doch etwas verlegen und schüchtern, den Kopf ein wenig zur Seite geneigt, stand der dänische Physiker auf dem hellen Podium des Hörsaals, in den durch die weitgeöffneten Fenster das volle Licht des Göttinger Sommers hereinströmte. Seine Sätze kamen etwas stockend und leise, aber hinter jedem der sorgfältig gewählten Worte wurde eine lange Kette von Gedanken spürbar, die sich irgendwo im Hintergrund einer mich sehr erregenden philosophischen Haltung verlor.« Diese berühmten Vorlesungen von Niels Bohr in Göttingen wurden später von den Physikern die »Bohr-Festspiele« genannt und waren der Auftakt zu einer großen und stürmischen Entwicklung in der Physik, in deren Verlauf dann die Quantenphysik geschaffen wurde und Heisenberg seine Unschärferelation entwickelte.

In der zweiten oder dritten Vorlesung von Bohr wagte Heisenberg trotz seiner Jugend, eine kritische Bemerkung vorzutragen. Bohr horchte auf. Er spürte sofort in den Einwänden dieses jungen Mannes den ungewöhnlich klaren Durchblick durch diese schwierige Problematik und war von der Sicherheit, mit der er auch mit Detailfragen umzugehen wußte, überrascht. Und er erkannte in ihm schnell die große schöpferische Begabung. Nach dem Vortrag lud er Heisenberg zu einem Spaziergang im Göttinger Hainberg ein, um mit ihm weiter zu diskutieren, im Grunde aber, um diesen interessanten jungen Menschen etwas näher kennenzulernen. Heisenberg schrieb darüber später: »Diese Unterredung, die uns kreuz und quer über die bewaldeten Höhen des Hainbergs führte, war das erste intensive Gespräch über Atomtheorie, an das ich mich erinnern kann; und es hat sicher meinen späteren Lebensweg entscheidend mitbestimmt.«

Seit dieser Begegnung war es Heisenbergs stärkster Wunsch, nach Kopenhagen zu Niels Bohr zu fahren, um sich dort der Gruppe der internationalen Physiker anschließen zu können, die, inspiriert von dem Ideenreichtum und der Gedankentiefe ihres Lehrers, an den aufregenden zentralen Problemen der Atomphysik arbeiteten und diskutierten. Aber zuerst mußte er noch sein Studium beenden; das hieß, er mußte seinen Doktor in München machen und sich anschließend habilitieren. Seinen Doktor machte er ein Jahr später, allerdings keineswegs so strahlend, wie alle es von ihm erwartet hatten. Denn, ganz den Problemen der Atomphysik und deren theoretischer Durchdringung zugewandt, erregte er das Ärgernis des Experimentalphysikers Wilhelm Wien, der sein 2. Prüfer war, und der Heisenbergs Kenntnisse in der Experimentalphysik als nicht genügend erachtete. »Er wollte mich wohl durchfallen lassen!« sagte Heisenberg, wenn auf dieses Thema das Gespräch kam. »Ich war viel zu sehr auf die theoretische Atomphysik festgelegt, und die Experimente, die wir in Wiens Übungen machen sollten, erschienen mir als reiner Zeitverlust.« Gerade dies aber erboste den Professor, der den vielen »Genies« in Sommerfelds Seminar – wie oft spaßeshalber gesagt wurde – eher skeptisch gegenüberstand. Heisenberg war über diesen Mißerfolg doch bedrückt, und sein Vater schrieb ihm, mit der akademischen Laufbahn sei es ja nun wohl ein für allemal aus. Das allerdings glaubte Heisenberg denn doch nicht, und so fuhr er in den Osterferien für zwei Wochen nach Kopenhagen zu seinem neuen Mentor Niels Bohr. Diese Zeit wurde der Anfang einer nahen Freundschaft, der sich Heisenberg lebenslang verpflichtet fühlte – mehr als das –, der er unauflöslich verbunden war.

In diesen Tagen mit Niels Bohr erhielt Heisenberg auch seine ersten Unterrichtungen über Politik. Bohr wanderte mit seinem jungen Gast für drei Tage durch sein geliebtes Dänemark. Er zeigte ihm die alten historischen Stätten und erzählte ihm die Geschichte dieses Landes und seine alten Sagen und machte dabei die geistigen Strukturen sichtbar, die immer noch in Skandinavien wirksam waren, den Geist der Freiheit und der Unabhängigkeit, den man höher schätzt als Glück und Leben und als alle Machtentfaltung eines großen Reiches. Für Heisenberg, dem die Vorstellung eines großen Reiches, dem der einzelne zu dienen und für das er sich möglicherweise auch zu opfern habe, als eine hohe ethische Forderung erschienen war, tat sich in diesem stolzen Lied von der Freiheit und Unabhängigkeit des einzelnen, von dem ihm Niels Bohr nun erzählte, eine ganz neue Welt auf. Er begriff, daß aus diesem Geist heraus die demokratische Idee geboren war, die in Skandinavien und England so ganz andere Wirklichkeit war als bei uns in Deutschland. Wie sehr er davon beeindruckt war, bekam später auch ich zu spüren. In einer unserer ersten Begegnungen erzählte er mir davon, von der Wanderung mit Niels Bohr durch das schöne freie Dänemark, und von dieser ganz anderen Mentalität, der demokratischen Gesinnung, die dort die selbstverständliche Grundlage der Gesittung war. Diesem Geiste fühlte Heisenberg sich seither unverbrüchlich verpflichtet, und er trug ein Menschenbild in sich von dem einzelnen, der durch glückhaftes und widriges Geschick unberührt hindurchgeht, um dem Ruf des eigenen Inneren treu zu bleiben. Danach lebte er in der ihm eigenen Konsequenz und Zielstrebigkeit. Auch er fühlte, daß er angetreten war, bestimmte Aufgaben zu lösen und auf sich zu nehmen. Danach hatte er zu handeln.

Die Tage in Dänemark vergingen allzu schnell. Heisenberg mußte wieder zurück nach Deutschland. Er mußte sich noch habilitieren – erst dann hatte er die volle Unabhängigkeit. Dafür hatte er eine Assistentenstelle bei Max Born in Göttingen angenommen. Und am 24. Juli 1924, ein Jahr nach seinem Doktorexamen, habilitierte er sich dort. Nun war der Weg frei: für das Wintersemester 1924/25 erhielt er ein Rockefeller-Stipendium für seinen ersten Studienaufenthalt in Kopenhagen.

So einfach und problemlos, wie es sich Heisenberg gedacht hatte, war aber die erste Begegnung mit dem Kopenhagener Kreis, dem er sich später so eng verbunden fühlte, keineswegs. Er schreibt darüber: »Mein erster Eintritt ins Institut und in den Kreis junger Menschen, die Bohr damals umgaben, bewirkte bei mir nach wenigen Tagen eine tiefe Depression. Diese jungen Physiker aus den verschiedensten Ländern der Erde waren mir weit überlegen. Die meisten von ihnen beherrschten mehrere fremde Sprachen, während ich mich nicht in einer einzigen vernünftig auszudrücken wußte; sie kannten sich in der Welt draußen aus, spielten Musikinstrumente mit hoher Vollendung und verstanden vor allem von moderner Atomphysik sehr viel mehr als ich.« Diese Situation war für Heisenberg in Wirklichkeit eine starke Herausforderung. Zuerst galt es, Sprachen zu lernen. Im humanistischen Gymnasium hatte er kein Englisch gelernt; er konnte zwar wissenschaftliche Abhandlungen verstehen, aber sich auszudrücken im Englischen war ihm ganz unmöglich. Aber er war in Kopenhagen und sollte dort Vorlesungen halten – also mußte er auch Dänisch lernen. Bei seiner Wirtin, der freundlichen alten Frau Måar, die bald ihren jungen Mieter wie einen Sohn liebte, lernte er gezielt, jeden Tag mehrere Stunden lang, Dänisch und Englisch. Frau Måar war eine gute Lehrerin, und sie förderte ihn, wo sie nur konnte. In wenigen Wochen bereits hatte er den Abstand zu den anderen Kommilitonen eingeholt und konnte sich sowohl im Englischen wie im Dänischen fließend ausdrücken. Das war die eine Seite seines Lebens in Kopenhagen; auf der anderen stürzte er sich mit eben derselben Energie und Intensität auf die wissenschaftliche Arbeit. Er muß damals eine ganz unglaubliche Arbeitskraft gehabt haben und kam wohl mit nur wenigen Stunden Schlaf aus.

Nach diesem ersten Semester in Kopenhagen wechselte Heisenberg nun zwischen Kopenhagen und Göttingen hin und her. »Bei Sommerfeld habe ich die Physik gelernt und den Optimismus dazu, bei Max Born die Mathematik, und bei Niels Bohr wurde ich in die philosophischen Hintergründe der naturwissenschaftlichen Probleme eingeführt«, sagte er von dieser Lehrzeit seines Lebens. Aber es war eben nicht nur eine Lehrzeit, sondern vor allem war es eine Zeit größter wissenschaftlicher Schöpferkraft. Zwischen 1922 und 1927 weist das Register 27 Abhandlungen auf von zum großen Teil grundlegender wissenschaftlicher Bedeutung. Der innere Einsatz, der dazu nötig war, muß von höchster Intensität gewesen sein. Heisenberg war ganz und gar von den naturwissenschaftlichen Problemen, die sich ihm stellten, gepackt – sie füllten seine Tage und Nächte aus. Die Diskussionen mit den anderen jungen Physikern, mit dem kritischen und scharfen Wolfgang Pauli und vor allem mit Niels Bohr selber forderten alle seine Kräfte. Oft meinte er vor Anstrengung und Erschöpfung nicht mehr weiter zu können. Dann ging er ins Gebirge – Skilaufen und Wandern waren für ihn ein unersetzlicher Ausgleich. Einmal fuhr er nach Norwegen. Er hatte in einem Buch von Nansen gelesen, jeder, der ein rechter Mann werden wolle, müsse sich einmal der Einsamkeit der Natur stellen. Das tat er. Er wanderte durch die nord-norwegischen Berge, durch menschenleere Schneelandschaft, nur nach Karte und Kompaß von Hütte zu Hütte, die oft mehrere Tagemärsche auseinander lagen; einmal brach er dabei durch die Schneedecke in ein Bachbett ein. Im Sommer, wenn der Heuschnupfen ihn plagte, wich er nach Helgoland aus. So sammelten sich seine Kräfte immer wieder, sein Kopf klärte sich, und er geriet immer tiefer hinein in ganz neue Denkbereiche, in ein Neuland, in dem er Zusammenhänge zu erkennen glaubte, die das Denken der Menschen tief verändern mußten. Was er selbst darüber schreibt, als ihm eines Nachts auf Helgoland der Durchbruch in die Klarheit seines Problems gelang, mag hier als Zeugnis seiner Ergriffenheit zitiert werden: »Im ersten Augenblick war ich zutiefst erschrocken. Ich hatte das Gefühl, durch die Oberfläche der atomaren Erscheinungen hindurch auf einen tief darunter liegenden Grund von merkwürdiger innerer Schönheit zu schauen, und es wurde mir fast schwindelig bei dem Gedanken, daß ich nun dieser Fülle von mathematischen Strukturen nachgehen sollte, die die Natur dort unten vor mir ausgebreitet hatte. Ich war so erregt, daß ich an Schlaf nicht denken konnte. So verließ ich in der schon beginnenden Morgendämmerung das Haus und ging an die Südspitze des Oberlandes, wo ein alleinstehender, ins Meer vorspringender Felsturm mir immer schon die Lust zu Kletterversuchen geweckt hatte. Es gelang mir ohne größere Schwierigkeit, den Turm zu besteigen, und ich erwartete auf seiner Spitze den Sonnenaufgang.«

In dieser Zeit äußerster Konzentration und Ergriffenheit durch seine Wissenschaft gab es keinen Raum für die Politik. Heisenberg war durch die Intensität seines Lebens derart abgeschirmt von der politischen Realität, die sich immer drohender in Deutschland abzeichnete, daß er sie nur ganz am Rande wahrnehmen konnte. Selbst als er den Ruf an eine Universität bekam, änderte sich daran erstmal kaum etwas.

Seinen ersten Ruf lehnte Heisenberg zu Gunsten der fruchtbaren Zusammenarbeit mit Niels Bohr ab. Er kam 1926 von Leipzig. Aber die Leipziger, denen an jungen, begabten Wissenschaftlern für ihre Universität gelegen war, gaben nicht nach. Ein Jahr später beriefen sie ihn von neuem und boten ihm das Ordinariat für theoretische Physik an. Gleichzeitig damit erhielt er auch einen Ruf an die Universität Zürich. Nun konnte er nicht mehr absagen. Nach einigen Überlegungen entschied sich Heisenberg für Leipzig. Später fragte ich ihn einmal, warum er sich für Leipzig und nicht für das so viel schönere Zürich entschieden habe. Er antwortete ganz spontan:«Ich wollte lieber in Deutschland bleiben.« Deutschland war für ihn das Land, in dem er eine erfüllte und lebendige Jugendzeit gehabt hatte; dort fühlte er sich hingehörig. Die Schatten der Politik hatten ihn zu dieser Zeit noch nicht erreicht.

Im Herbst 1927 ging Heisenberg also nach Leipzig. Nun galt es dort etwas Ähnliches zu verwirklichen, wie er es in Kopenhagen in so einzigartiger Weise erlebt hatte: lebendige wissenschaftliche Auseinandersetzung mit einem Kreis begabter junger Leute aus aller Welt, dazu intensive menschliche Begegnungen. Tatsächlich entwickelte sich in Leipzig in den fünf Jahren bis zur Machtergreifung durch die Nazis ein reiches und lebendiges wissenschaftliches Leben. Viele junge Begabungen aus aller Welt kamen zu dem so früh berühmt gewordenen Professor, bei dem immer die aktuellsten Probleme aufgegriffen und bearbeitet wurden. Der Arbeitsstil bei ihm muß locker und frei gewesen sein, der Ton zwischen dem Professor und seinen Studenten und Mitarbeitern, die oft älter waren als er, fröhlich und witzig. Im Sommer fand das Seminar nicht selten im nahe gelegenen Schwimmbad statt, im Winter spielte man Ping-Pong und traf sich bei der Teestunde, zu der der Professor den Kuchen stiftete. Und wenn im März die Sonne schon an Kraft gewann, fuhr er mit seinen vertrautesten und besten Leuten auf die Untersberger Alm am Brünnstein, wo er eine kleine Hütte benutzen durfte, die er vor Jahren mit seinen Pfadfinderbuben aus dem Zustand völligen Verfalls wieder aufgebaut hatte. Dort wurde Ski gefahren und intensiv Wissenschaft geredet, fröhlich gelacht und philosophiert. In dieser Zeit finden sich Namen wie Teller, Bethe, Bloch, Weißkopf, der junge Weizsäcker und viele mehr in seinem Seminar, das schnell internationales Ansehen gewann und sich an die Seite der anderen großen Naturwissenschaftszentren wie Göttingen oder Kopenhagen gesellte.

In dieser lebendigen Atmosphäre, getragen von der »Internationalen Familie der Physiker«, rückte die bedrohende Realität der Politik noch immer in den Hintergrund. Nach den früheren Erlebnissen war für Heisenberg die Politik eher unheimlich und beängstigend, und sein Gewissen beruhigte er wohl damit, daß er versuchte, den politischen Herausforderungen gerecht zu werden, indem er durch seine Wissenschaft und das gemeinsame Suchen nach Wahrheit zusammen mit den vielen Leuten aus aller Welt, die in Leipzig versammelt waren, für die Versöhnung der Völker, für Menschlichkeit und die Überbrückung rassischer und ideologischer Vorurteile arbeitete und wirkte. Das war seine Hoffnung; und Niels Bohr war sein Vorbild und sein großer Lehrmeister – nicht nur in der Physik.

Nach der Machtergreifung durch die Nazis im Januar 1933 änderte sich dies alles, nicht schlagartig, aber doch Zug um Zug, und die Politik wurde nun auch für Heisenberg schmerzlich spürbar. Die Reihen in seinem Seminar fingen an sich zu lichten. Diejenigen, denen sich eine Möglichkeit bot, eine Stellung im Ausland zu finden, gingen fort, einer nach dem anderen. Aber auch er selbst geriet in Konflikt mit den nationalsozialistischen Organisationen; er war ihnen ein Dorn im Auge, denn er weigerte sich, Mitglied auch nur in einer ihrer Organisationen zu werden, ja er weigerte sich, mit ihnen zu kooperieren. Er war aufgefordert worden, sich an einem Aufruf für Hitler zu beteiligen und ein Telegramm zu unterschreiben, mit dem er seine Verbundenheit mit dem »Führer« bekundet hätte – er verweigerte die Unterschrift. Er lehnte ab, an einem Lehrertreffen teilzunehmen, bei dem man sein »Ja« zum Austritt Deutschlands aus dem Völkerbund geben sollte – und dies wurde dann auch Gegenstand einer unangenehmen und nicht ungefährlichen Situation, der er ausgesetzt war.

Heisenberg hatte 1933 den Nobelpreis – für 1932 geltend – erhalten und stand dadurch im Scheinwerferlicht der politischen Aufmerksamkeit. Im November, nachdem die Nachricht von der Verleihung des Preises durch die Presse bekannt geworden war, hinterbrachte ihm ein Freund, daß ein nationalsozialistischer Schlägertrupp am nächsten Morgen die große Vorlesung zu sprengen gedachte; die Ovationen, die die Studenten Heisenberg bringen wollten, sollten in eine Demonstration gegen ihn umfunktioniert werden. Man wußte, daß bei solchen Aktionen mit Schlimmem zu rechnen war. So etwas eskalierte nicht selten in wahre »Saalschlachten«, die sogar Opfer forderten. Was sollte man nun in dieser Situation tun? Der Freund – wir nennen ihn W. W. –, der ihn gewarnt hatte und der selbst eine SA-Uniform trug, bot sich an, die Sache »in Ordnung zu bringen«, wie er es nannte.

Am nächsten Morgen war der Hörsaal brechend voll. Es

herrschte eine unruhige, spannungsgeladene Stimmung. Viele waren gekommen, um den jungen Nobelpreisträger zu feiern – doch nun wurde von einer Demonstration gegen ihn geflüstert, weil er es an solidarischem Verhalten hätte fehlen lassen. In dieser Atmosphäre der Unsicherheit stieg W.W. auf eine Bank, schuf sich Gehör und sagte etwa folgendes*. Er kenne ja Heisenberg – er sei, so habe er immer gefunden, ein anständiger, patriotischer Mensch, aber diese Absage zum Lehrertag sei ganz und gar unbegreiflich. Wenn es wahr sein sollte, daß er dies nur aus Rücksicht auf seine jüdischen Kollegen im Ausland getan habe – das allerdings sei empörend –, dann sei Heisenberg für ihn erledigt. Ehe aber dies nicht geklärt sei, dürfe keine Demonstration gegen Heisenberg stattfinden. Er hätte gerade von der Parteileitung ein Telegramm erhalten, daß einstweilen nichts gegen Heisenberg unternommen werden dürfe; dies sei ein strikter Befehl und bei Zuwiderhandlung hätten die Delinquenten mit dem Ausschluß aus der Fachschaft zu rechnen. So könne man nichts anderes tun, als Heisenberg mit eisigem Schweigen zu empfangen. Diejenigen aber, die ihr Mißfallen noch stärker bekunden wollten, sollten jetzt mit ihm demonstrativ den Hörsaal verlassen – und W.W. verließ mit einem Häufchen Radikaler den Saal. Während sie oben zur Türe hinausgingen, trat Heisenberg durch die untere Tür ein. Totenstille empfing ihn. Er ging mit beklommenem Herzen zum Podium – da plötzlich hörte man das erste Trampeln, es schwoll an wie ein Sturm, und Begeisterung brach hervor. Nachdem sich alles wieder beruhigt hatte, konnte die Vorlesung nun ungestört ihren Lauf nehmen.

Es besteht kein Zweifel darüber, daß dies alles ein äußerst zwielichtiges, abgekartetes Spiel war, das von nicht Einge-

---

* Diese Details erhielt ich von Prof. Rozental aus Kopenhagen.

weihten gar nicht zu durchschauen war; so weit war es also schon gekommen, daß man mit solchen Methoden umgehen mußte, um Schlimmeres zu verhindern.

Wie konnte dies alles so geschehen? Man wird sich vielleicht wundern, daß die Studenten so leicht und schnell zu manipulieren waren; auch, daß Heisenberg einen SA-Mann als Freund hatte, der sich solcher zwielichtiger Methoden bediente, wird manchen von unserer heutigen Sicht aus befremden. Man kann dies alles nur verstehen, wenn man weiß, wie es zu jener Zeit wirklich war. Ein großer Teil der Bevölkerung und auch der Studenten hatte sich zwar für Hitler entschieden, wollte ein neu erstarktes Deutschland nach den Demütigungen der Nachkriegszeit und hoffte, eine entschiedene Führung würde mit allen den Wirren und Nöten der Zeit ein Ende machen können. Die von Haß erfüllte und hypertrophe Parteiideologie aber hatte noch keineswegs alle Menschen durchdrungen, und mit dem Meinungsterror solidarisierten sich doch nur wenige. Die meisten waren verunsichert und auch verschreckt und wußten nicht so recht, wohin es ging, was man glauben sollte. Viele Menschen meinten damals noch, daß der Nationalsozialismus doch noch eine Wendung zum Besseren nehmen könnte; sie wiegten sich in der Hoffnung, daß die Schrecken, von denen man hörte, Exzesse der Anfangszeit seien. Und sie fühlten sich nun aufgerufen, ihre eigene Person mit in die Waagschale zu werfen, indem sie in die Partei oder in die SA eintraten. Wir hatten damals alle noch keine Erfahrung mit solchen Gewaltdiktaturen, und so mancher nährte in sich die Illusion, man könne die Dinge vielleicht von innen heraus noch bessern. Doch die Demoralisierung war schnell fortgeschritten: Viele wagten bereits jetzt schon nicht mehr offen zu operieren. W.W. bediente sich der Lüge und der List, um Heisenberg zu schützen. Es gab kein Telegramm von der Parteileitung, geschweige denn einen Befehl, Heisenberg zu schonen. Dieses ganze Lügenspiel ist in der Tat ein trauriges und beschämendes Beispiel dafür, wie man sich bereits zu dieser Zeit gegen das Böse oft nur mit unlauteren Methoden schützen konnte.

Heisenberg hatte von den Machenschaften, die W.W. ausgeheckt hatte, um ihn zu schützen, so gut wie nichts gewußt. Als er den Hörsaal betrat, spürte er das eisige, unheimliche Schweigen – davon erzählte er mir später –, und er war dann erlöst, als dieses umschlug in Applaus und Zustimmung – auch dafür hatte W.W. vorgesorgt. W.W. war im Grunde ein anständiger Mensch; etwas dumpf wohl und weich, verschwommen in seinen Vorstellungen, erschien er mir. Aber Heisenberg war fest davon überzeugt, daß er sich niemals zu üblen Dingen mißbrauchen lassen würde. Er vertraute sich ihm in dieser gefährlichen Situation an und hat es ihm immer gedankt, daß er ihn vor einer äußerst unangenehmen Erfahrung bewahrt hatte. W.W. sah später ein, daß sein Weg falsch war; und in tiefer Verzweiflung über alles, was er mit zu verantworten hatte, suchte er im Kriege ganz bewußt den Tod. Sein Abschiedsbrief an die Familie ist ein erschütterndes Dokument dieser verworrenen Zeit.

Daß die Zustände statt besser mit erschreckender Konsequenz immer schlimmer wurden, ließ sich bald nicht mehr übersehen. 1934, bei einem Vortrag auf der Naturforschertagung in Hannover, setzte sich Heisenberg eindeutig und klar für Einstein und seine Lehre ein. Dies trug ihm das Kesseltreiben ein von seiten der nationalsozialistischen Elemente unter den Physikern, das dann drei Jahre später in den Beschimpfungen im »Schwarzen Korps« seinen Höhepunkt fand. Auch an den Universitäten gewannen die Nationalsozialisten immer deutlicher die Oberhand. Heisenberg kämpfte in Leipzig gegen die Entlassung verdienter, mit hohen Ehren ausgezeichneter Kollegen – er kämpfte mit Verve –; jetzt wissen wir, daß dieser Kampf nie eine Aussicht auf

Erfolg haben konnte – damals wußten wir dies noch nicht. Damals erfuhren wir es erst. Nicht nur die Kollegen, auch unsere Freunde wurden Opfer des nationalsozialistischen Rassenwahns. Unser nächster Freund, der Jurist Erwin Jakobi, ein großer Geiger und eine reiche und äußerst liebenswürdige Persönlichkeit, mit dem wir durch Musik und nahe persönliche Freundschaft lebenslang verbunden waren, wurde aus seiner Stellung als Professor entlassen, und es blieb uns nur, ihn mit ungebrochener Freundschaft zu umgeben und zu stützen. Heisenbergs beste Leute verließen ihn, ja er selbst mußte ihnen raten, Deutschland zu verlassen, was ihm sehr schwer fiel.

In dieser Lage empfand Heisenberg stark, daß er zu wirksamerem Handeln aufgerufen sei. Zusammen mit seinen etwa gleichaltrigen Kollegen, dem Physiker Fritz Hund, dem Mathematiker Bartel Lehndert van der Waerden, und Carl-Friedrich Bonhoeffer, Professor für physikalische Chemie – ein Bruder des von den Nazis hingerichteten Theologen Dietrich Bonhoeffer –, erwog man, welche Schritte man tun müsse, um ein Zeichen zu setzen, daß sie nicht gewillt seien, das alles mit anzusehen, ein Zeichen, das hieß: »Bis hierher und nicht weiter!« Sie überlegten, ob sie gemeinsam das Lehramt niederlegen sollten – gewiß eine spektakuläre Demonstration. Heisenberg war sich nicht so recht klar darüber, ob ein solcher Schritt überhaupt irgendeinen Sinn haben, irgendeine Wirkung ausüben könnte. In dieser Lage beschlossen sie, Heisenberg solle nach Berlin zu Max Planck fahren, um mit ihm darüber zu beraten, was zu tun sei. Max Planck war eine Generation älter als er und seine Freunde, er war erfahren und von lauterster Gesinnung – er war über jeden Zweifel erhaben. Max Planck aber riet ab. Er sagte ihnen, nichts würde sich ändern, wenn sie weggingen. Im Radio und in den Zeitungen würde es heißen, diese vier Professoren wären für das Regime untragbar geworden, und man hätte sie wegen volksfeindlicher Agitation ihres Amtes entheben müssen. Er sagte, eine Lawine, die ins Rollen geraten sei, könne man in ihrem Laufe nicht mehr beeinflussen. Das eben sei die wahre Situation. Er riet den jüngeren Kollegen zu bleiben, auszuharren. »Halten Sie durch, bis alles vorbei ist, bilden Sie ›Inseln des Bestandes‹ und retten Sie damit Wertvolles über die Katastrophe hinweg.« – Das war die Quintessenz von dem, was er Heisenberg riet.

Auf dem Rückweg nach Leipzig war Heisenberg tief entmutigt. Er sah, daß es für das Eingreifen des einzelnen in den Gang der Dinge zu spät geworden war, daß das Schicksal unabwendbar über seine Freunde und ihn hinwegrollen würde. Trotzdem beschloß er, den Rat von Planck zu befolgen – und so taten es die anderen auch. Das Gespräch mit Planck ist sicherlich bereits ein wesentlicher Faktor in seiner späteren großen Entscheidung, nicht aus Deutschland auszuwandern, die aus so vielen Komponenten zusammengesetzt war. »Inseln des Bestandes« zu bilden – das leuchtete ihm ein und setzte sich in ihm fest.

III. Kapitel

Die »Deutsche Physik« und die Nachfolge Sommerfelds

Heisenbergs Erlebnis in Leipzig, wo Einstein von Philipp Lenard so polemisch einer zersetzenden Physik beschuldigt worden war, war leider nur ein Vorspiel zu einer großen Bewegung, die zerstörend und bedrängend in Heisenbergs Leben eingriff und endlich seine politische Aktivität entfachte. Einstein hatte 1933 Deutschland für immer verlassen und hatte schließlich in den USA eine neue Heimat gefunden. Mit seinem Weggang aus Deutschland war der Weg frei geworden für diejenigen Elemente in der Wissenschaft, die meinten, man könne allgemeine naturwissenschaftliche Fragen auf der Ebene »völkischen Geistes« lösen. Philipp Lenard war der stärkste Kopf dieser Bewegung. Da er nach seinen großen früheren Erfolgen, für die er 1905 den Nobelpreis erhalten hatte, nicht bereit gewesen war, den Schritt in die moderne internationale Entwicklung der Physik zu tun, lag es für ihn als Außenseiter nahe, sich mit den Elementen im Nationalsozialismus zu solidarisieren, die aus rassischen und ideologischen Gründen gegen die Abstraktionen der modernen Physik zu Felde zogen. Sein Kampf richtete sich insbesondere gegen Einstein und seine Relativitätstheorie. Für Lenard war Einstein der Prototyp des »entarteten jüdischen Geistes«, der die einfachen und klaren Begriffe der klassischen Physik verriet. Lenard war der »Erfinder« der »Deutschen Physik« (auch »arische« Physik genannt), die zwar die Probleme der modernen Physik nicht lösen konnte, aber, durch den Rückgriff auf die Prinzipien der klassischen Physik die moderne Physik auszuschalten und als »artfremd« zu diskreditieren versuchte.

Lenards großer Verbündeter war Johannes Stark, wie er ein angesehener Physiker auf internationaler Ebene, der 1919 wegen der Entdeckung des nach ihm benannten »Stark-Effekts« den Nobelpreis erhalten hatte. Er war in dem Kampf gegen die moderne Physik der stärkste Motor und ein wirklich gefährlicher, skrupelloser Gegner. Leider gab es auch unter den jüngeren Wissenschaftlern einen nicht ganz geringen Teil, der die Proklamierung der »arischen« Physik mitmachte und unterstützte. Da Lenard und Stark die offiziellen Regierungsstellen hinter sich hatten, schlossen sich ihnen sowohl diejenigen an, die opportunistisch auf ihren Vorteil bedacht waren, als auch die, die nicht imstande waren, die schwierigen Gedankengänge nachzuvollziehen, die in der modernen Physik von ihnen verlangt wurden. Und schließlich gab es noch die Gruppe der Unsicheren und Verwirrten, die nicht wußten, was sie denken sollten. Das war die Garde, mit der Lenard und Stark operierten. Auf diese Weise aber konnte die arische Physik trotz der fehlenden wissenschaftlichen Qualifikation einen Einfluß auf die Wissenschaftsentwicklung in Deutschland gewinnen, die denen, die sich dafür verantwortlich fühlten, als durchaus bedrohlich erschien.

Die Reihen der Physiker, die noch die moderne, wahre Physik lehrten, hatten sich stark gelichtet. Viele der führenden Persönlichkeiten hatten Deutschland verlassen: außer Einstein auch Max Born, James Franck, Heisenbergs hervorragender Assistent Felix Bloch, Hans Bethe und viele mehr. Lenard schrieb triumphierend: » Der Fremdgeist verläßt bereits freiwillig die Universitäten, ja, das Land!« Heisenberg, obwohl tief beunruhigt über diese Entwicklung, hatte auf der Fahrt von Berlin nach Leipzig den Entschluß gefaßt, dem Rate Plancks zu folgen und in Deutschland zu bleiben. Er war entschlossen, trotz allem seine Studenten auch weiterhin zu unterrichten in dem, was er als die Wahrheit erkannt und bei seinem großen Lehrer Niels Bohr gelernt hatte. Er gab sich nicht so schnell geschlagen und wollte das Feld nicht räumen. Später schrieb er darüber: »Ich entschloß mich zu bleiben, wohl in dem Gefühl, daß das Schicksal Deutschlands besiegelt sei, wenn es nicht gelänge, die absurden und verbrecherischen Züge des Nationalsozialismus von innen her zu beseitigen. Der Pflicht, dies wenigstens in der Physik zu tun, glaubte ich mich nicht entziehen zu können; auch Bohr schien diesen Standpunkt zu billigen.« (Geschrieben wurde dies im Herbst 1945 während der Gefangenschaft.) Er nahm also den Kampf mit dem Ungeist nationaler Hybris, der sich in der »arischen« Physik so deutlich manifestierte, auf.

Eine unerwartete Verschärfung erfuhr dieser Kampf durch die Emeritierung von Sommerfeld in München, die im Mai 1935 erfolgte, als dieser sein 67. Lebensjahr erreicht hatte. Sommerfeld war ein außerordentlich aufrechter Mann gewesen und hatte nie ein Hehl daraus gemacht, daß er hinter Einstein, Niels Bohr und der modernen Physik stand. Der Lehrstuhl in München besaß darüber hinaus ein sehr hohes Ansehen dadurch, daß Sommerfeld ein hochbegabter, engagierter Lehrer war und eine ganze Generation tüchtiger Physiker herangezogen hatte. Darum hatte die Besetzung dieses Lehrstuhls eine so zentrale Bedeutung.

Schon im Januar 1935 hatte Sommerfeld Heisenberg gefragt, ob er nach München kommen wolle, wenn er dorthin berufen würde; er, Sommerfeld, wünsche es sehr, ihn als seinen Nachfolger zu sehen. Dieses Angebot war für Heisenberg eine große Freude und Verlockung, wünschte er sich selber doch nichts sehnlicher. In einem Brief, den er kurz nach dem Kriege an Sommerfeld geschrieben hat, fand ich die Stelle: »Mein Herz ... zaubert vor mein geistiges

Auge den blauen Himmel von den Bayerischen Vorbergen, die Erinnerung an meine Studienzeit bei Ihnen und an den ganzen Glanz des früheren München ... mein Herz erinnert mich an die Segelbootfahrten auf dem Starnberger See, an den Pulverschnee vor der Untersberger Skihütte und die Luft im Frühling, wenn der Föhn von den Bergen weht.« So lyrisch wurde er äußerst selten, nur in seiner so berühmt gewordenen Rede zur 800-Jahr-Feier der Stadt hat er seiner Liebe zu München noch einmal in sehr bewegten Worten Ausdruck gegeben. – Darüber hinaus hatte Heisenberg aber auch das Gefühl, daß ihm dieser Lehrstuhl seines Lehrers in gewisser Weise zustehe, mehr als irgendeinem anderen. Und schließlich wäre seine Berufung nach München ein unübersehbarer Sieg über die »Deutsche Physik« gewesen – aber gerade dies wurde dem Plan auch zum Verhängnis.

Es war nicht nur Sommerfeld, der Heisenbergs Berufung wünschte, er hatte auch die Zustimmung der aufrecht gebliebenen Kollegen der Münchner Universität. In einem Brief der Berufungskommission, bestehend aus den Physikern Gerlach und Sommerfeld, dem Chemiker Wieland und dem Mathematiker Caratheodory, vom 13. Juli 1935 an das Ministerium, heißt es: »W. Heisenberg ist unter den Schülern Sommerfelds der berühmteste und bedeutendste ... Heisenbergs vielseitige Produktivität ist einzig dastehend, ebenso die anregende Kraft, die von ihm auf seine Schüler übergeht ...«

Aber das Ministerium war inzwischen eine von den Nazis gelenkte und durchsetzte Institution geworden, und die Anhänger der Maximen von Lenard und Stark hatten bereits die Oberhand gewonnen. Der Wunsch der Berufungskommission stieß daher auf größten Widerstand. Man hatte kein Interesse, sich mit Sommerfelds Starschüler ein so gefährliches Kuckucksei in das Nest zu legen. Heisenberg hatte sich bereits zu mißliebig gemacht. Er war nicht in der Partei und ein erklärter Gegner der »Deutschen Physik«. 1934 hatte Stark bereits eine Broschüre veröffentlicht: ›Nationalsozialismus und Wissenschaft‹, in der er den Angriff auf die exakte Naturwissenschaft in schärfster Form vortrug. Als Gegenaktion hatte Heisenberg im September desselben Jahres den Vortrag auf der Naturforschertagung in Hannover gehalten, in dem er den Standpunkt der wirklichen Physik klar formulierte und für Einstein und seine Lehre eintrat. Dieser Vortrag wurde auch in der ›Zeitschrift für Naturwissenschaften‹ veröffentlicht. Heisenbergs nächster Schachzug war dann eine öffentliche Erklärung zusammen mit Max Wien und Geiger, in der der Standpunkt von Lenard und Stark in einer sorgfäligen Ausarbeitung scharf abgelehnt wurde. Diese Erklärung wurde von den meisten deutschen Physikern unterzeichnet. Das alles war für das Ministerium untragbar; es lehnte Heisenberg ab.

Aber der Kampf ging weiter und wurde in immer heftigeren Formen ausgetragen. Am 13. Dezember 1935 hielt Stark eine Festrede zur Eröffnung des Philipp-Lenard-Instituts in Heidelberg, in der er sich entrüstete: »... Einstein ist heute aus Deutschland verschwunden. Aber leider haben seine deutschen Freunde und Förderer noch die Möglichkeit, in seinem Geiste weiter zu wirken. Noch steht sein Hauptförderer Planck an der Spitze der Kaiser-Wilhelm-Gesellschaft, noch darf sein Interpret und Freund, Herr von Laue, in der Berliner Akademie der Wissenschaften eine physikalische Gutachterrolle spielen, und der theoretische Formalist Heisenberg, Geist vom Geiste Einsteins, soll sogar durch eine Berufung ausgezeichnet werden.« Durch einen Artikel im ›Völkischen Beobachter‹, der von einem Anhänger Starks, einem Studenten namens Menzel, geschrieben worden war, wurde der Konflikt nun aus dem wissenschaftlichen Raum hinaus in die breite Öffentlichkeit getragen. Heisenberg schwankte sehr, ob er darauf antworten sollte;

der ›Völkische Beobachter‹ war schließlich das Kampfblatt der Partei, sollte – durfte er sich so weit mit den Nazis einlassen? Aber schließlich meinte er doch, gerade vor der Öffentlichkeit nicht schweigen zu dürfen. Am 28. Februar 1936 erschien im ›Völkischen Beobachter‹ sein Artikel in betont sachlicher Form, ohne jede Polemik. Er umreißt darin den Erkenntniswert der theoretischen Physik und beruft sich schließlich auf Kant, indem er die theoretische Physik bezeichnet als die Fortsetzung der großen philosophischen Tradition, »die Kant mit erkenntnistheoretischen Untersuchungen über die Grundlagen der Naturwissenschaft eröffnet hat«. – Aber Heisenberg hatte seinen Gegner unterschätzt. Die Antwort von Stark war seinem Artikel direkt angefügt. »Im Interesse der Aufklärung ist es notwendig, daß der vorstehende Artikel Heisenbergs sofort eine Richtigstellung erfährt« – so beginnt er. Anfangs versucht auch Stark den von Heisenberg gebrauchten sachlichen Ton weiterzuführen – aber das gelingt nicht lange. Stark schiebt nun die ganze Kontroverse auf den schon lange schwelenden Gegensatz von Experimentalphysik contra Theorie, wobei die Experimentalphysik die eigentliche Physik sei, die die alten klassischen Werte von Beobachtung und Erkennen beinhalte – alle großen Entdeckungen seien von der Experimentalphysik gemacht worden –, die Theorie aber sei nichts als »eine Methode, ein rechnerisches und darstellendes Hilfsmittel, ... eine Entartung jüdischen Geistes, die nicht weiter wie bisher einen maßgebenden Einfluß nehmen darf ...« Diese Wendung war gefährlich. Dies war eine echte Drohung und war nicht nur gegen Heisenberg gerichtet, sondern gegen die ganze theoretische Physik und mit ihr gegen alle Theoretiker. Heisenberg fühlte sich erneut aufgerufen, den Kampf nicht aufzugeben.

Trotz dieser zermürbenden Kontroversen, bei denen man nie sicher sein konnte, wie es weitergehen würde, ob nicht eines Tages die sogenannte »Wahrheit« von Staats wegen entschieden würde – wie dies ja nicht selten geschah –, schien sich seit einiger Zeit die Lage in München zu Heisenbergs Gunsten zu entwickeln. An die Münchner Universität war ein neuer Rektor gekommen, ein Mann mit zwar der »richtigen« Legitimation – er war Parteigenosse und ganz linientreu –, der aber in seiner neuen Stellung nichtsdestoweniger bemüht war, der Münchner Universität etwas von ihrer alten Ehrwürdigkeit und Wissenschaftlichkeit zurückzugeben. Deshalb war er daran interessiert, daß Heisenberg als Nachfolger von Sommerfeld nach München käme und der Lehrstuhl endlich wieder voll besetzt würde. Dafür bot er seinen ganzen Einfluß bei den maßgebenden Stellen auf. Dadurch sah es im Frühjahr 1937 so aus, als wäre die Übernahme des Lehrstuhls durch Heisenberg nicht mehr weit entfernt. Dieser Rektor Kölbl hatte Heisenberg gebeten, schon im Sommersemester 1937 nach München zu kommen, um erst einmal vertretungsweise Vorlesungen und Seminare abzuhalten, und er hatte vom Ministerium die Zusage erhalten, daß dann die Berufung auch wirklich ausgesprochen werde. Heisenberg hatte zugesagt und sich bereits im Isartal ein hübsches Haus gekauft, in das er hoffte, im Sommer einziehen zu können. Aber es kam alles ganz anders.

Ende Januar 1937 hatten wir uns bei einer Musik im Hause Mittelstaedt kennen gelernt. Dieser Abend hatte bereits unser Leben verändert. Wir fühlten beide, daß wir »unserem Schicksal« begegnet waren. Wie dieses Schicksal aussehen würde, wußte keiner von uns – aber daß wir als veränderte Menschen daraus hervorgehen würden, das war jedem von uns bereits an diesem ersten Abend bewußt, und es bedurfte nicht mehr des Anstoßes unserer eifrigen Gastgeberin, die am Ende des Abends sagte: »Herr Heisenberg, könnten Sie nicht Fräulein Schumacher nach Hause bringen?« Wir verlobten uns zehn Tage später, und im April wollten wir heiraten.

Aus diesem Grunde bat Heisenberg in München um Aufschub für ein Semester. Mitte Juli fuhren wir beide nach München. Heisenberg hatte das Semester in Leipzig verfrüht abgebrochen, da es mir nicht gut ging und der Arzt mir dringend kräftige Luft verschrieben hatte. Wir stiegen bei Heisenbergs Mutter in der Hohenzollernstraße ab, und nach der Begrüßung rief Heisenberg sofort den Rektor an, um von ihm den Stand der Berufungsangelegenheit zu erfahren. Kölbl war am Telefon kurz und sagte nur: »Haben Sie schon das ›Schwarze Korps‹ angeschaut? Da ist ein langer Artikel über Sie drin. Kaufen Sie sich die Zeitung sofort und lesen sie ihn! Erst dann können wir miteinander reden.« Das ›Schwarze Korps‹ war das Organ der SS – wir pflegten es nicht zu lesen. Heisenberg ging sofort an den Zeitungsstand und kaufte sich die Nummer vom 15. Juli. Der Artikel, um den es sich handelte, hatte den Titel: ›Weiße Juden in der Wissenschaft‹. Es war in der Tat ein Frontalangriff auf Heisenberg; unterzeichnet war er von Stark. In diesem Artikel waren unter anderem folgende Absätze zu lesen: »Wie sicher sich die ›Weißen Juden‹ in ihren Stellungen fühlen, beweist das Vorgehen des Professors für theoretische Physik in Leipzig, Prof. Werner Heisenberg, der es 1936 zuwege brachte, in ein parteiamtliches Organ einen Aufsatz einzuschmuggeln, worin er Einsteins Relativitätstheorie als ›die selbstverständliche Grundlage weiterer Forschung‹ erklärte und ›eine der vornehmsten Aufgaben der deutschen wissenschaftlichen Jugend in der Weiterentwicklung der theoretischen Begriffssysteme‹ sah. Zugleich versuchte er, durch eine Abstimmung der deutschen Physiker über den Wert der Theorie Eindruck bei den maßgebenden Stellen zu schinden und Kritiker seines Wirkens mundtot zu machen. Dieser Statthalter des Einsteinschen ›Geistes‹ wurde 1928, im Alter von 26 Jahren als Musterzögling Sommerfelds Professor in Leipzig, in einem Alter also, das ihm kaum Zeit geboten hatte, gründliche Forschungen zu betreiben ...« An einer anderen Stelle heißt es: »1933 erhielt Heisenberg den Nobelpreis zugleich mit den Einstein-Jüngern Schrödinger und Dirac – eine Demonstration des jüdisch beeinflußten Nobelkomitees gegen das nationalsozialistische Deutschland, die der ›Auszeichnung‹ Ossietzkys gleichzusetzen ist. Heisenberg stattete seinen Dank ab, indem er sich im August 1934 weigerte, einen Aufruf der deutschen Nobelpreisträger für den Führer und Reichskanzler zu unterzeichnen ...« An anderer Stelle wurde Heisenberg als »Judengenosse« und als »Judenzögling« bezeichnet, und es heißt dann: »Seine Berühmtheit im Ausland (ist) eine aufgeblasene Folgeerscheinung der Zusammenarbeit mit ausländischen Juden und Judengenossen«.

Ein solcher Angriff in einem hochoffiziellen, militanten Organ des Nationalsozialismus war nicht ungefährlich; mit Sicherheit bedeutete er aber die Annullierung der Berufung Heisenbergs nach München. So war es also aus mit der Nachfolge Sommerfelds – an dieser Front war der Kampf verloren. Von nun an ging es allein darum, den Vormarsch und das Überhandnehmen der verlogenen pseudowissenschaftlichen Lehren und ihren Ungeist an den Universitäten einzudämmen.

In diesem Zusammenhang möchte ich auf etwas hinweisen, was oft angezweifelt wird und dennoch eine unbestreitbare Realität war. Wir vergessen heute leicht, wie schwierig es in der damaligen Zeit war, sich ein wirkliches, realistisches Bild des Geschehens zu machen, dieses Geschehens, das hinter einer Fassade von Stummheit und Angst ablief und in das nur ab und an Schlaglichter fielen, die so voller Schrecken waren, daß es fast unmöglich war, sie zu glauben. Daß wir unter einer verbrecherischen Regierung lebten, das wußten wir. Die Schwierigkeit der damaligen Zeit lag darin, daß wir noch keine Erfahrung darin hatten, was an fürchterlichen Verbrechen möglich sein könnte und wie weit die Menschen auf dem verbrecherischen Wege zu gehen bereit sein würden. Wir waren schlecht informiert, nicht so sehr deswegen, weil wir nicht genug Informationen erhielten – das war natürlich auch der Fall –, aber vor allem waren wir schlecht informiert, weil wir nicht an das Ausmaß von Schlechtigkeit in unserem eigenen Volke zu glauben vermochten. Ich meine damit nicht, daß wir uns als Deutsche besser fühlten als andere Nationen – eine solche Überheblichkeit verband sich für uns eben mit dem Ungeist des Nationalsozialismus. Aber wir fühlten uns als Europäer, und ganz Europa lebte damals noch in dem Selbstvertrauen, zu den zivilisierten Völkern zu gehören, zu den Völkern dieser Erde, die ungezügelte Barbarei hinter sich gelassen und sich einer fairen Toleranz und Menschlichkeit verschrieben hatten. Wir hatten in der Schule und manchmal auch in unserem Elternhaus gelernt, daß wir das Volk der »Dichter und Denker« seien – und wir glaubten es gerne! Nun mangelte es uns an Vorstellungskraft, um uns auszumalen, zu welchen organisierten Verbrechen unsere Leute fähig waren. Wir hatten nicht Phantasie genug, um das zu erkennen; unser Bewußtsein weigerte sich, die Zeichen der Zeit dahin zu deuten. Heute, wo wir die ganze furchtbare Wahrheit kennen, können auch wir es uns kaum mehr vorstellen, wie wenig zu verstehen wir damals in der Lage waren. Selbst im Kriege verleugneten die Menschen oft noch die volle Realität. Ich sehe noch meinen Vater vor mir, einen Mann alter, rechtlicher Denkungsart, der geradezu außer sich geriet, als Heisenberg ihm einen Bericht weitergab, den er von einem Mitarbeiter des Instituts erhalten hatte. Dieser war Zeuge der ersten zynischen Massenerschießung von Juden in Polen geworden. Mein Vater verlor alle Fassung und schrie uns an: »So weit kommt es, daß ihr solche Dinge glaubt, wenn ihr ständig ausländische Sender hört! Solche Dinge können nicht von Deutschen getan werden, das ist unmöglich!« Er war kein Nazi; er hatte nach der nationalsozialistischen Machtergreifung frühzeitig sein Amt quittiert.

Das, was uns von den übrigen Ländern der westlichen Welt immer am schwersten vorgeworfen wird, ist ja gerade dies, daß ein Volk mit einer so hohen Kultur in ein derartig barbarisches Verhalten zurückfallen konnte – und das war eben auch für uns innerhalb von Deutschland nur schwer zu fassen und in dem ganzen Ausmaß zu begreifen. Das konnten auch wir erst voll ermessen, als sich nach dem Kriege die KZs und die Gefängnisse öffneten und sich Bilder nie vorher dagewesener Schrecken darboten, für uns ebenso grauenvoll wie für die Welt, Bilder, die jetzt die ganze Welt vor Augen hat, wenn sie an das Deutschland der Nazizeit denkt.

Heisenberg war kein Mensch, der den Kopf in den Sand steckte. Wenn immer es möglich war, hörten wir den englischen Sender. Aber Heisenberg liebte eben das Land seiner Kindheit und Jugend; er glaubte nicht, daß dies Bild, das sich jetzt so erschreckend darbot, das wahre Angesicht von Deutschland sei. Er trug in sich ein anderes Bild, und für dieses andere Deutschland meinte er durchhalten zu müssen. Eine Insel der Freiheit und des Vertrauens zu bilden, so wie ihm Planck geraten hatte, dazu hatte er sich entschlossen. Dafür wollte er kämpfen. Natürlich – jetzt hatte der Gegner einen Sieg errungen –, und Heisenberg bekam dies auch zu spüren: Junge Studenten, die sich bei ihm um einen Studienplatz beworben hatten, sagten ab, da es zu gefährlich sei, bei Heisenberg zu studieren; Kollegen, die früher seinen Kontakt gesucht hatten, rückten nun von ihm ab, und an Beschimpfungen aus den Reihen der Dozenten und Studentenführer fehlte es nicht. In einem Brief an den Reichsleiter der NSDAP findet sich der Abschnitt: »Das Konzentrationslager ist zweifellos der geeignete Platz für Herrn Heisenberg ... Auch dürfte eine Anklage wegen Volks- und Rasseverrats fällig sein.« Gezeichnet ist dieser Brief von einem Oberschullehrer.

Ein hervorstechender Zug im Wesen von Heisenberg war seine Hartnäckigkeit. Man sagt den Westfalen nach, daß sie einen Dickschädel sondergleichen hätten – Heisenberg war Westfale! Alle seine Vorfahren väterlicherseits waren westfälische Bauern und Handwerker gewesen. Wir, in der Familie, wußten das wohl und hatten ein Bonmot, mit dem wir ihn gelegentlich neckten, das man manchmal als Schild hinten an Autos oder Fernlastern sieht und das heißt: »Hupen nützt nichts, bin Westfale!« Die Unbeirrbarkeit, mit der er sein Ziel ansteuerte und seinen Weg verfolgte, war beispiellos und sicherlich auch eine der Ursachen für seinen wissenschaftlichen Erfolg. Sie war seine Stärke und auch manchmal seine Schwäche. Aus diesem tief verwurzelten Wesenszug heraus gab es für ihn keine andere Möglichkeit, als die Auseinandersetzung mit allen ihm zur Verfügung stehenden Mitteln weiterzuführen. Er stand jetzt vor der Entscheidung, entweder dem Druck der Nazis zu weichen oder sich durchzusetzen. Er war nun wie ein Fechter, der, mit dem Rücken zur Wand, um sich schlägt, um sich wieder freien Raum zu erkämpfen, freien Raum, um seine Lehrtätigkeit fortsetzen zu können. Er wußte dabei, er konnte den Feind nur mit seinen eigenen Waffen schlagen – darum ging er ein so hohes Risiko ein.

Am 21. Juli 1937, also eine Woche nach dem Erscheinen des Artikels im ›Schwarzen Korps‹, schrieb Heisenberg einen Brief an den Reichsführer SS Himmler, die höchste, für das ›Schwarze Korps‹ verantwortliche Stelle, in dem er »einen wirksamen Schutz gegen solche Angriffe« forderte und verlangte, daß seine »Ehre wiederhergestellt« würde. Ein ähnliches Schreiben richtete er an Rust, den Minister für Erziehung und Unterricht, seinen eigenen höchsten Vorgesetzten. Er strengte damit eine Art Disziplinarverfahren gegen sich selbst an, eine Untersuchung, in der die verleumderischen Angriffe des ›Schwarzen Korps‹ auf ihren Wahrheitsgehalt hin geprüft werden sollten.

Ich war damals sehr erschrocken und in gewisser Weise auch schockiert über diesen Schritt. In Freiburg, während ich dort studierte, hatte ich einiges erlebt, was mir klar gemacht hatte, daß die Nazijustiz mit Recht und Unrecht nichts mehr zu tun hatte und daß man schnell und leicht verloren war, wenn man erst einmal in das Räderwerk geraten war. Heisenberg hatte diesen Schritt nicht mit mir beraten – er wollte mich nicht allzusehr belasten damit und ahnte wohl auch, daß ich nicht einverstanden gewesen wäre. Selbst heute, wo ich seine Motive besser kenne und verstehe als damals, meine ich, daß das Spiel, das er da spielte, wohl doch allzu hoch gewesen ist, obwohl – und das muß man klar sehen – der Erfolg ihm letztes Endes recht gegeben hat.

Es gab ja in Heisenbergs Leben immer wieder Augenblicke, in denen er ein Risiko einging, das wider alle Vernunft zu sein schien. Am dramatischsten war dies wohl damals am Kriegsende, als die alliierten Truppen schon in Hechingen einmarschiert waren und er mit dem Fahrrad auf dem Wege nach Urfeld war, um seiner Familie zu helfen, das Kriegsende zu bestehen. Auf dieser Fahrt geriet er an einen SS-Wachposten, der ihn höchst feindlich anredete, er laufe wohl vor dem Volkssturm davon! Daß es jetzt um Leben und Tod ging, wurde Heisenberg in diesem Moment in greller Klarheit bewußt. Die SS fackelte nicht lange, solche »Deserteure« am nächsten Baume aufzuknüpfen. Der Wachtposten sah sich die selbstausgestellten Papiere an und bedeutete ihm, herein zu seinem vorgesetzten Sturmführer zu kommen. Das aber durfte nicht geschehen. Da zog Heisenberg ein Päckchen amerikanischer Zigaretten aus der Tasche, die er am Vorabend durch Zufall bekommen hatte, bot sie dem SS-Mann mit den Worten an: »Gewiß haben Sie schon lange nicht mehr eine gute Zigarette geraucht – hier, nehmen Sie!« Der Mann nahm die Zigaretten wirklich und ließ Heisenberg weiterfahren. (Nicht auszudenken, wenn er Nichtraucher gewesen wäre!)

Auch die Bereitschaft, in entscheidenden Augenblicken alles auf eine Karte zu setzen, war ein Zug in Heisenberg, der es ihm in seiner Wissenschaft ermöglichte, in gänzlich neue, noch nie gedachte Gebiete vorzustoßen. Er selber hat es einmal so ausgedrückt: »Der Wissenschaftler kommt immer wieder einmal in die Lage des Columbus, der den Mut hatte, alles bewohnbare Land hinter sich zu lassen in der fast wahnsinnigen Hoffnung, jenseits der Meere wieder Land zu finden.«

Jetzt aber ging es Heisenberg nicht wie bei dem SS-Wachtposten um das eigene Überleben, sondern es ging ihm um die »Wahrheit der Wissenschaft«. Sie gegen Lüge und Verleumdung durchzusetzen, um sie auch weiterhin seine jungen Leute, für die er sich verantwortlich fühlte, lehren zu können – das wollte er erreichen. Dazu brauchte er seine Rehabilitation. Er hoffte, sie erlangen zu können, indem er bewies, daß naturwissenschaftliche Wahrheit jenseits von Rasse und Ideologie angesiedelt ist, daß die Relativitätstheorie wahr ist, gleichgültig ob Einstein »Jude« ist oder nicht. Außerdem hoffte er auch, mit einem solchen Verfahren, seine Gegner, Lenard und Stark, ihrer schändlichen und verleumderischen Machenschaften überführen und ihren verderblichen Einfluß damit ausschalten zu können. Dafür wagte er es, sich direkt an das Zentrum der Gewalt zu wenden.

Um zu erreichen, daß sein Brief wirklich in die Hände von Himmler geriete und nicht irgendwo in den unteren Rängen stecken bliebe, wie dies mit solchen Briefen in der

Regel üblich war, bediente sich Heisenberg eines Weges, der wohl ebenso problematisch wie auch wirksam war. Er bat seine Mutter, den Brief der alten Frau Himmler zu überbringen, damit sie ihn an den Sohn weiterleite. Um das verständlich zu machen, muß ich nochmal ein Stückchen Familiengeschichte aufblättern.

Heisenbergs Großvater mütterlicherseits war Rektor Wecklein vom Max-Gymnasium in München, ein gefürchteter, gestrenger Schulmann. Rektor Wecklein hatte einen Zirkel, Kollegen, die sich von Zeit zu Zeit trafen, im Isartal herumspazierten und dabei anstehende schulische Fragen erörterten. Zu diesem Kreis gehörte auch der Gymnasialdirektor Himmler. Auf diese Weise bestand also eine lockere Verbindung mit dem Hause Himmler. Die Himmlers hatten drei Söhne. Der erste war ein tüchtiger Junge, er machte gut Musik, lernte einen ordentlichen Beruf, ebenso der dritte Sohn. Dagegen kam der mittlere Sohn beruflich nicht zurecht. Er hatte nach dem Abitur Landwirtschaft studiert. Die Hühnerfarm, die ihm die Eltern schließlich kauften, florierte nicht. Dieser mittlere Sohn wurde der »deutsche Reichsführer SS«.

Meine Schwiegermutter war eine christliche Frau und eine erbitterte Gegnerin der Nazis. Aber beunruhigt über das Schicksal ihres Sohnes und in Sorge um die junge, neu entstehende Familie, rief sie nun bei Frau Himmler an und bat, sie besuchen zu dürfen. Frau Himmler wohnte immer noch in der alten, gutbürgerlichen Etagenwohnung mit dem Kruzifix in der Ecke des Wohnzimmers, vor dem die frischen Blumen standen. Die alte Frau hörte sich alles an, nahm auch den Brief entgegen für ihren Sohn und schüttelte bei allem, was ihr meine Schwiegermutter berichtete, etwas traurig und besorgt mit dem Kopf und sagte dann: »Wenn mein Heinrichle das wüßte, er würde sicherlich dafür sorgen, daß diese Verleumdungen aufhören. Ich werde mit ihm reden und ihm den Brief Ihres Sohnes geben«, setzte sie entschlosssen hinzu. Als dann meine Schwiegermutter schon im Aufbruch begriffen war, wandte sich Frau Himmler noch einmal um und fragte mit angsterfüllten Augen: »Oder meinen Sie, Frau Heisenberg, daß mein Heinrichle vielleicht doch nicht auf dem rechten Wege ist?« Meine Schwiegermutter erzählte uns diese makabre Szene mit erschrockenem Grauen.

In seinem Brief an Himmler spricht Heisenberg von der »Wiederherstellung seiner Ehre«; das klingt für unsere heutigen, sensibler gewordenen Vorstellungen befremdend. Ich will versuchen, verständlich zu machen, was er damit gewollt hat. Heisenberg sprach hier nicht von dem alt-akademischen Ehrbegriff, der im Gefolge eines übersteigerten Personenkults entstanden und Gegenstand vieler Karrikaturen geworden ist – über diesen Ehrbegriff, der in Deutschland ja speziell in den studentischen Verbindungen blühte, zu denen Heisenberg nie irgendwelche Beziehungen gehabt hat, war er längst hinaus und machte sich nur lustig darüber. Er erzählte oftmals mit großem Vergnügen die Geschichte von der Forderung auf Pistolen, die er von einem älteren Kollegen erhalten hatte, als er als blutjunger Professor nach Leipzig gekommen war. Er hatte ihn auf der Straße nicht gegrüßt! Nun schrieb er höchst belustigt an den erbosten Professor, es täte ihm wirklich leid, ihn nicht erkannt zu haben. Das passiere ihm des öfteren und sei ohne jede kränkende Absicht geschehen. Aber wenn er darauf bestünde, würde er die Forderung auch annehmen, nur brauche er doch wohl an die sechs Wochen Zeit, um das Pistoleschießen zu erlernen. – Er selbst blieb bei Beschimpfungen, die ihm ja immer wieder von der einen oder anderen Seite widerfuhren, solange ich mich erinnern kann, stets gelassen, und gelegentlich zitierte er in leicht abgewandelter Form aus ›Florian Geyer‹ von Hauptmann: »Mir ist schon mehr Pech und Schwefel über meine Rüstung gelaufen!«

Aber hier meinte Heisenberg mit »Ehre« sehr handfest die Anerkennung seiner Stellung als namhafter Wissenschaftler. »Ich habe keine Lust, hier als Mensch zweiter Klasse zu leben«, schrieb er am 14. 4. 38 in einem deprimierten Brief an Sommerfeld, aus dem auch wieder deutlich wird, wie sehr er mit der Frage der Auswanderung damals rang. Nein, er mußte die Anerkennung seiner Qualität als Physiker erreichen, als Fachmann seiner Wissenschaft, als in der Welt und auch in Deutschland angesehene Kapazität. Der Begriff »Ehre« stand bei den Nazis hoch im Kurs; diese Sprache verstanden sie. Darauf setzte er und bediente sich ihrer wie einer Schachfigur, die er einsetzte, um den Sieg über den Ungeist der »Deutschen Physik« zu erringen, dem sich dann auch Lenard und Stark samt ihren Verbündeten unterzuordnen hätten.

Heisenberg wurde des öfteren zu Vernehmungen nach Berlin zitiert und ist auch in dem berüchtigten Gefängnis in der Prinz-Albrecht-Straße in Berlin verhört worden. Er hat davon nie viel erzählt, aber ich erinnere mich, daß er von diesen Verhören erschöpft und gequält nach Hause kam. Nicht, daß ihm wirklich Schlimmes widerfahren wäre. Es war diesen Verhören ein »Sachverständiger« beigegeben worden, ein SS-Mann, der Physiker war und früher einmal bei Heisenberg Vorlesungen gehört hatte. Dieser Mann war ihm wohlgesonnen und sorgte dafür, daß das Verhör einigermaßen auf der sachlichen Ebene gehalten und Heisenberg vor Gemeinheiten bewahrt wurde. Daß es auch hätte anders gehen können, wurde ihm klar, als er in dem Verhörsraum ein Schild an der Wand sah, auf dem stand: »Ruhig und tief durchatmen!« – da kam seine Phantasie in Gang, und er sah vor sich die gequälten Gesichter derer, die hier anders verhört wurden als er und für die es kein Zurück ins Leben mehr gab.

Heisenberg war trotz seines kräftigen und frischen Aussehens äußerst sensibel und von großer Zartheit. »Er sieht aus wie ein einfacher Bauernjunge mit kurzen hellen Haaren, klaren leuchtenden Augen und einem strahlenden Gesichtsausdruck«, schrieb Max Born am 5. 1. 1923 an Arnold Sommerfeld. Und weiter schreibt er: »Seine unglaubliche Schnelligkeit und Genauigkeit der Auffassung befähigt ihn, ständig eine ungeheure Arbeitsleistung ohne große Anstrengung zu vollbringen.« Aber diese Arbeitsintensität, die Dynamik seines Geistes hatte auch ihren Preis. Seine schweren Allergien, die ihn lange Zeiten des Sommers quälten, und die damit verbundenen vielen körperlichen Mißhelligkeiten, mit denen er ständig zu tun hatte, waren der physische Ausdruck dieser hohen Sensibilität. Seelisch wirkte sich dies aus in seinem Bedürfnis nach Harmonie, einer Harmonie, die ihm den inneren Freiheitsraum für seine Arbeit gewährte, deren Gegenpol aber Angst war, Angst vor dem Chaos, das über ihm zusammenschlagen könnte. Niemand ahnte dies hinter seinem offenen, klaren und entschlossenen Wesen. Es war jedoch eine tief sitzende Angst davor, die Autonomie über sich selbst zu verlieren, in die Hände anderer zu fallen, auch Angst davor, gequält zu werden, Angst auch vor großen Schmerzen. Das war der Preis für seine Sensibilität und für seine Begabung. Das muß man wissen, um zu verstehen, daß es Heisenberg durchaus für sein Recht hielt, sich durch gewisse unerhebliche Kompromisse, die niemandem schadeten, vor der verbrecherischen Gewalttätigkeit des Gegners abzuschirmen. Ein lässiges Handheben bedeutete ihm nichts, sich über ein »Heil Hitler« unter einem amtlichen oder auch halbamtlichen Brief aufzuregen, fand er lächerlich. Er nahm Kompromisse auf sich, wenn es darum ging, etwas durchzusetzen, was ihm wichtig erschien, insbesondere wenn es ihm notwendig erschien, sich gegen klare Existenzbedrohung schützen zu müssen. Gegen das tiefe

Entsetzen, das die Naziverbrechen und der Krieg in ihm wachriefen, konnte er sich nur innerlich behaupten, indem er dagegen die klare Welt seiner Wissenschaft setzte, in der er die ewigen Wahrheiten erblickte, die auch diese Schrekken der Zeit überleben würden. An dieser Stelle gab es für ihn keinen Kompromiß. Seine Tapferkeit war von geistiger Art, und die Kompromisse erschienen ihm wie das Gekräusel auf der Oberfläche eines Meeres, von dem man aber auch leicht verschlungen werden konnte.

Das Verfahren, das Heisenberg über sich selbst heraufbeschworen hatte, zog sich trotz der für ihn relativ günstigen Konstellation über Monate hin. Es besteht kein Zweifel darüber, daß Himmlers Mutter mit ihrem Sohne gesprochen und den Brief ihm übergeben hat. Darauf ist es auch zurückzuführen, daß das Verfahren schließlich etwas abrupt und unmotiviert abgebrochen wurde. Ein Treffen zwischen Himmler und Heisenberg hat, obgleich es von Himmler immer wieder geplant wurde und in den Dokumenten auftaucht, nie stattgefunden. Zu Himmlers Einlenken mag auch der weltweite Ruhm des jungen Heisenberg beigetragen haben. *Ein* Ossietzky mag auch Himmler genug erschienen sein! Außerdem trug sich Himmler – wie es aus seinem Brief hervorging – mit Hoffnungen, Heisenberg für seine abstrusen Pläne von der Welteislehre etc. gewinnen zu können. Jedenfalls erhielt Heisenberg am 21. Juli 1938, also ein Jahr nach dem Erscheinen des Artikels im ›Schwarzen Korps‹, einen Brief von Himmler, in dem es hieß: »Ich habe, gerade weil Sie mir durch meine Familie empfohlen wurden, Ihren Fall besonders korrekt und besonders scharf untersuchen lassen. Ich freue mich, Ihnen mitteilen zu können, daß ich den Angriff des Schwarzen Korps durch seinen Artikel nicht billige, und daß ich unterbunden habe, daß ein weiterer Angriff gegen Sie erfolgt ...«

Am gleichen Tage schrieb er an Heydrich: »Ich bitte Sie

... den ganzen Fall sowohl beim Studentenbund als auch bei der Reichsstudentenführung zu klären, da ... wir es uns nicht leisten können, diesen Mann, der verhältnismäßig jung ist und Nachwuchs heranbringen kann, zu verlieren oder tot zu machen ...« Wie sehr Heisenberg gefährdet war, wird aus diesem Brief drastisch deutlich.

Ein Teilerfolg war also errungen worden. Heisenberg hatte jetzt die Legitimation erhalten, wieder moderne Physik lehren zu können, wie er es für richtig befand, und dies war von unschätzbarer Bedeutung für alle anderen Physiker, die an den deutschen Universitäten lehrten, und für die ganze Generation von jungen Physikern, die jetzt aufwuchs und für die sich Heisenberg verantwortlich fühlte.

Allerdings konnte Heisenberg mit diesem Schritt nicht erreichen, daß er oder ein anderer wohlgeschätzter Physiker den Münchner Lehrstuhl bekam. Die Stelle als Nachfolger von Sommerfeld wurde mit einem gänzlich unbekannten Physiker namens Wilhelm Müller besetzt, von dem Prandtl in Göttingen schrieb: »Herr Müller bringt für die theoretische Physik nichts, aber auch rein gar nichts mit. Statt dessen hat er in polemischer Form ein Arbeitsprogramm veröffentlicht, das nur als Sabotage eines für die technische Weiterentwicklung unentbehrlichen Faches bezeichnet werden kann.« (Unveröffentlichtes Memorandum vom Mai 1941.)

Der Gang in die »Höhle des Ungeheuers«, wie wir manchmal sagten, hatte Heisenberg viel Kraft gekostet. Hatte er sich gelohnt? Ich will in diesen Erinnerungen nicht urteilen, sondern berichten und richtigstellen. Über die »Deutsche Physik« wurde nicht der Stab gebrochen – das geschah später an ganz anderer Stelle.

IV. Kapitel

Emigrationsangebote
aus dem Ausland

Wie wir sahen, war Heisenbergs Leben in den Jahren vor dem Kriege gekennzeichnet von dem zermürbenden Kampf gegen das Diktat des Ungeistes innerhalb der Wissenschaft und der Anstrengung, in Leipzig Leben und Lehre im Institut möglichst ungestört weitergehen zu lassen. Nach dem schweren Aderlaß durch die Vertreibung und Flucht so vieler hochbegabter jüdischer Schüler und Mitarbeiter und eines großen Teils seiner ausländischen Studenten war es schwer geworden, noch ein intensives wissenschaftliches Leben aufrechtzuerhalten. Immer wieder versuchte er gute, profilierte Kollegen an sein Institut zu bekommen. Noch 1934 wollte er den holländischen Physiker Professor Casimir, den er aus Kopenhagen kannte und hoch schätzte, für den Lehrstuhl für Experimentalphysik in Leipzig gewinnen. Zu seinem Leidwesen bekam er – was ja vorauszusehen war – eine Absage. Wie mit Casimir, so ging es auch mit anderen. Heisenberg litt unter diesem trostlosen Zustand der immer weiter zunehmenden Isolierung, gegen die er vergebens anzukämpfen versuchte. Nach einem Besuch in Kopenhagen schrieb er am 5. Juli 1936 an Niels Bohr: »... An die schöne Zeit in Kopenhagen denk' ich noch sehr gern, und ich danke Dir und Euch allen herzlich für Eure Gastfreundschaft. Die Beschäftigung mit der Physik ist ja in den letzten Jahren bei uns etwas sehr Einsames geworden, und es ist deshalb immer ein großes Fest, wenn wir in Deinem Kreis wieder für ein paar Tage an dem vollen Leben der

Wissenschaft teilhaben können. «

Trotz alledem gelang es Heisenberg noch einmal, eine Schar begabter und zuverlässiger junger Leute um sich zu versammeln. Unter den vielen Namen der damaligen Zeit erinnere ich mich an Flügge, Volz, Dolch, den Jugoslawen Supec, die Japaner Tomonaga und Watanabe, und vor allem an das so eng befreundete Dreiergespann: Harald Wergeland aus Norwegen, Berndt Olaf Grönblom aus Finnland und Hans Euler, einen jungen deutschen Kommunisten, der mit einem Mädchen verlobt war, das wegen seiner jüdischen Abstammung in die Schweiz geflohen war. Nachdem Heisenberg seinen Assistenten Felix Bloch schweren Herzens hatte gehen lassen müssen, hatte er Hans Euler zu seinem Assistenten gemacht, einmal, weil er ein hochbegabter und differenziert denkender Physiker war, dann aber auch, um ihn, den er als Menschen so hoch achtete, besser schützen und ihm eine Lebensgrundlage geben zu können; denn Euler war mittellos und durch seine politische Einstellung, die nicht unbekannt war, sehr gefährdet. Das Schicksal von Hans Euler, der ihm und später auch mir in diesen schweren Jahren freundschaftlich so nahe verbunden war, schildert Heisenberg in dem 14. Kapitel seiner Autobiographie. Daß er ihn nicht durch den Krieg hindurch hatte retten können, war ihm immer sehr schmerzlich.

An der Universität gab es noch einige Freunde, auf die er sich verlassen konnte, vor allem Bonhoeffer, Hund, van der Waerden, aber auch andere, obwohl in immer stärkerem Maße fühlbar wurde, daß jeder nur noch auf sich selbst gestellt war in dieser Zeit und die Politik so viel Mißtrauen zwischen die Menschen säte. Das war die Zeit des politischen Witzes, durch den man – seine eigene Meinung tarnend – die Meinung des anderen abtastete und dadurch eine gewisse Solidarität untereinander schaffte, die Solidarität derer, die an der Zeit litten. Mit den zunehmenden Schwierigkeiten des Lebens war man ja auch auf gegenseitige Hilfe angewiesen, die ihrerseits wiederum eine gewisse Solidarität schuf. Ausgenommen waren die, die von der Zeit profitierten und ihre Zugehörigkeit zur Gruppe der Arrivierten zur Schau stellten – sie mied man und ging ihnen aus dem Wege, wo immer es möglich war.

In diesen Jahren erhielt Heisenberg mehrere Angebote auf Lehrstühle an ausländische Universitäten. Ein Angebot kam aus Australien; das war keine Verlockung. Nur den Ruf an die Columbia University, den er 1937 erhielt, hat er sehr ernstlich erwogen. Dort hatte er wirkliche Freunde, das lockte ihn. Am 31. 8. 38 schrieb er an Sommerfeld: »Schon im Sommer vergangenen Jahres überbrachte mir Professor Betz von der Columbia University eine Einladung, dorthin entweder für ein Semester oder für dauernd zu kommen.« Dann schreibt er weiter: »Auf diesen Brief habe ich geschrieben, daß ich in Deutschland bleiben wolle, und daß ich zunächst nur für kürzere Zeit nach drüben kommen wolle. Für diesen Besuch habe ich die Zeit von Februar bis Mai in Betracht gezogen, aber auch dies noch nicht endgültig festgelegt . . .« Aus einem Brief an Bohr geht hervor, daß ihn diese Entscheidung in quälende Ungewißheit stürzte. Er schrieb, er wünsche fast, daß ihm keine andere Wahl bliebe als auszuwandern wie so viele seiner Freunde, daß ihm das Schicksal die Entscheidung in dieser Frage abnähme. Aber das Gegenteil war der Fall: durch seine Heirat wurde sie ihm besonders schwer gemacht. Die Heirat bedeutete für Heisenberg mehr als Zweisamkeit, sie bedeutete für ihn die Gründung einer Familie – und er hoffte immer noch, daß schließlich seine Kinder in Deutschland aufwachsen könnten, in dem Deutschland, das er geliebt hatte und an dessen geheime Existenz er immer noch in der Tiefe glaubte. Er hatte zu dieser Zeit noch nicht alle Hoffnung aufgegeben, daß sich von innen her etwas ändern könnte. Nicht, daß der eingeschlagene Kurs der Naziregierung sich hätte ändern lassen – der trug zu sehr die Handschrift Hitlers –, aber das Militär besaß die faktischen Mittel der Macht, und ein erfolgreicher Widerstand aus den Reihen des Militärs war schließlich vorstellbar und eine letzte Hoffnung. Wußten wir nicht genug Namen von Offizieren, die von dem Geschehen in Deutschland ebenso schockiert waren wie wir und an deren Mut und Anständigkeit nicht zu zweifeln war? Wo waren sie? Wie oft sprachen wir über eine solche Möglichkeit – einen Putsch des Militärs, das Militär, das die Naziregierung wegfegte und sich nicht für einen Krieg im Namen Hitlers mißbrauchen ließe! Diese Hoffnung war damals noch nicht begraben. Außerdem war Heisenberg selbst viel zu sehr in seinen Kampf gegen die »Deutsche Physik« verwickelt – sein Weggehen hätte einen verhängnisvollen Sieg dieser Irrlehre bedeutet und seine Schüler und Kollegen in der theoretischen Physik in ihrer Existenz gefährdet. Dies entschied wohl dann auch seine Absage.

Zu dieser Zeit waren die Gründe für seine Ablehnung, nach Amerika auszuwandern, sicherlich noch nicht völlig ausgereift, sondern die Entscheidung war eher gefühlsmäßig gefärbt. Anders war es dann, als die Columbia University ihr Angebot 1938/39 noch einmal wiederholte und er Mitte Mai 1939 für zwei Monate nach New York und Chicago fuhr. Zu der Zeit war alle Hoffnung geschwunden, daß sich in der Politik Europas noch etwas zum Besseren wenden könnte. Die »Tschechenkrise« hatte deutlich gezeigt, daß Hitler bereit war, einen Krieg zu führen. Bei dem kurzen Besuch in England hatte Heisenberg gesehen, daß die »Aufrüstung in Tag- und Nachtschichten mit äußerster Energie betrieben« wurde, so daß kein Zweifel blieb, daß Europa in Zukunft Hitlers Herausforderungen annehmen würde. Auch hatten die Judenverfolgungen Dimensionen erreicht, die uns alle tief entsetzten – die wüsten und bruta-

len Szenen, die sich am 9. Novermber 1938, in der »Reichs-
kristallnacht« abgespielt hatten, ließen uns alle vor Schreck
erstarren. Der Terror war dabei, eine bedrückende und
hoffnungslose Atmosphäre zu schaffen. Es gab keinen
Zweifel mehr: der Krieg war unabwendbar.

Bevor Heisenberg in die USA abreiste, beschlossen wir,
noch für zwei Wochen nach Badenweiler zu fahren. Ich erwartete mein drittes Kind und hatte Erholung dringend nötig. In Badenweiler konnten wir bei gutem Wetter auf der
anderen Seite des Rheins die schönen, schwingenden Linien
der Vogesen sehen – ein wundervoller Anblick, der mir aber
auch das Herz schwer machte. Würde in diesem schönen
Lande erneut ein schrecklicher Krieg wüten? Heisenberg geriet bei diesem Anblick in eine tiefe Depression. Später sagte
er darüber: »Bei dem Anblick der Vogesen stiegen in mir
die Visionen von Krieg und Untergang auf, von dem un-
ausweichlichen Krieg, auf den wir hinsteuerten.« Er ver-
sank damals so tief in seine Probleme, daß er tagelang nicht
mehr mit mir sprach und ich völlig verzweifelt und ratlos
wurde. Es gelang mir nicht, ihn aus dieser inneren Dunkel-
heit zurückzuholen; und ich wußte auch nicht, was der
Grund zu dieser totalen Verschlossenheit war. Jetzt weiß ich
ihn. Damals rang er mit der Frage, was er tun, wie er sich
entscheiden sollte. War er es seiner jungen Familie schuldig,
auszuwandern, sie in Sicherheit zu bringen? Er fühlte eigentlich, er sollte in Deutschland bleiben, aber konnte er das
der Familie gegenüber verantworten, der Familie, die er ja
schließlich selbst gewollt hatte? Aber was wurde dann,
wenn er wegging, aus seinen Schülern, seinen Freunden, allen denen, denen er nahestand und denen er sich auch verpflichtet fühlte? Würden wir aber hier in diesem Hexenkessel überhaupt überleben können? Und hatte es überhaupt irgendeinen Sinn dazubleiben? In diesem Konflikt entschied
er sich gegen die Familie, gegen ihre Sicherheit, gegen das

einfachere und angenehmere Leben – das war der Grund, warum er nicht mit mir sprechen konnte. Er entschied sich damals in gewissem Sinne gegen mich. Daß ich ihm dies nie nachgetragen oder zum Vorwurf gemacht habe, hat ihn bewogen, in seinem Buch von mir zu schreiben, ich sei »tapfer«, was mir immer als sehr wenig charakteristisch für mich erschien und mich stets wunderte, solange ich die Hintergründe dafür nicht begriffen hatte.

Heisenberg wußte bei dieser Entscheidung durchaus, daß er sich damit auch gegen die »weiße Weste« entschied. Es war ihm klar, daß er um Kompromisse nicht herumkommen würde. In seinem Buch schreibt er darüber: »Am Anfang der Vorlesung mußte man die Hand erheben, um den von der nationalsozialistischen Partei geforderten Formen zu genügen ... Man mußte amtliche Briefe mit ›Heil Hitler‹ unterzeichnen. Das war schon viel unerfreulicher, aber zum Glück hat man ja nur selten solche Briefe zu schreiben, und dann hatte dieser Gruß sowieso den Unterton: ›ich will mit dir nichts zu tun haben‹. Man mußte an Feiern und Aufmärschen teilnehmen. Aber es würde wohl möglich sein, solche Verpflichtungen zu umgehen. Jeder einzelne Schritt dieser Art war vielleicht noch vertretbar. Aber man würde wohl viele Schritte gehen müssen.« Ja, man würde wohl Schuld auf sich nehmen müssen – aber bedeutete wegzugehen nicht auch Schuld?

Sicherlich hatten wir damals keine klaren Vorstellungen von dem, was auf uns zukam. Auch hier galt es, daß wir das Ausmaß des Schrecklichen zu ermessen nicht in der Lage waren. Wir klammerten uns an die Hoffnung, daß das Volk einen abermaligen Krieg doch nicht mitmachen würde, daß bei ernstlichen Rückschlägen, die kommen mußten, das Militär das verhaßte Regime abschütteln würde, daß, wenn England in den Krieg eingriffe, Hitler vielleicht doch vor der letzten Konsequenz zurückschrecken würde – und was dergleichen vages Wunschdenken mehr gewesen ist. Das waren damals wohl vor allem meine Gedanken; Heisenberg aber hatte in Badenweiler schon tief in den Abgrund geschaut. In Badenweiler hatte er sich entschieden zu bleiben. Warum hatte er so entschieden, was waren seine Gründe?

Im Frühsommer 1939 reiste Heisenberg nochmal nach Amerika. Das Motiv zu dieser Reise war, sich noch einmal seiner Freunde dort zu versichern und ihnen die Gründe für sein Verhalten verständlich zu machen. Er glaubte damals noch fest an die »Familie der Physiker auf der ganzen Welt«, von der er mir so oft erzählt hatte, und er ahnte nicht, daß er durch seine Entscheidung, in Deutschland zu bleiben, sich selbst aus dieser Familie ausschloß. Da er sich nie mit der Politik der Nazis identifiziert hatte, glaubte er fest, daß die alten Freundschaften über die politischen Gegensätze hinweg währen könnten. Fermi, mit dem er seine Absicht in Deutschland zu bleiben besprach, zeigte ein gewisses Verständnis für diesen Entschluß, obgleich er ihn letztlich nicht billigte; Pegram in New York aber konnte er mit seinen Argumenten nicht überzeugen, und so wie Pegram reagierten doch die meisten seiner amerikanischen Freunde, was Heisenberg sehr schmerzte.

Es wird oft vermutet, bei seinem Entschluß, in Deutschland zu bleiben, habe mitgespielt, daß er doch an einen deutschen Sieg geglaubt und auf ihn gehofft habe. Diejenigen, die ihm mißtrauten, meinen, er hätte sich wohl doch verpflichtet gefühlt, für diesen Sieg mit allen seinen Möglichkeiten zu kämpfen – schließlich wußte man, daß Heisenberg ein Patriot war und sein Land liebte –, was lag näher, als anzunehmen, daß er auf den Sieg seines Landes hoffte? In Wirklichkeit aber hat Heisenberg nie einen Augenblick daran gezweifelt, daß Deutschland diesen schlimmen und verbrecherischen Krieg verlieren würde, ja verlieren mußte. Selbst zu der Zeit, als der Schein anderes vermuten ließ, als sich die deutschen Truppen nach dem Einmarsch in Paris mit Siegeslorbeer schmückten und die ganze Welt vor der Möglichkeit erzitterte, Deutschland könnte diesen Krieg gewinnen, selbst da ließ er sich nicht täuschen. Damals fragte ich ihn, selbst tief beunruhigt, ob er wohl glaube, daß Hitler den Krieg doch gewinnen würde. Heisenberg war ganz ruhig und sicher und sagte: »Er wird nicht siegen. Es wird so werden, wie ein englischer Diplomat es einmal formuliert hat, als er gefragt wurde, wie der Krieg wohl ausgehen würde: ›Die deutschen Heere‹ – so sagte er – ›werden durch Europa ziehen wie ein Messer durch die Butter; aber irgendwann, irgendwo werden sie eine Schlacht verlieren, und ihre Heere werden zum Stehen kommen – und dann haben sie den Krieg verloren!‹ So wird es werden, du kannst sicher sein«, setzte er nochmal dazu. Wir wagten damals nicht mehr, solche Gespräche zu Hause zu führen. Wir waren davon überzeugt, daß unsere Gespräche abgehört wurden, und wirklich sicher fühlten wir uns nur auf der Straße. Wir gingen bei diesem Gespräch unter den blühenden japanischen Kirschbäumen der Naunhofer Straße in Leipzig in einer duftenden Frühlingsnacht.

Man sollte aber wohl doch noch die Frage stellen, ob Heisenberg immer so gedacht hatte. War das auch seine Ansicht damals, als er sich entschied, in Deutschland zu bleiben, also im Frühjahr 1939? Oder glaubte er damals doch noch an einen Sieg Deutschlands, und das beeinflußte seine Entscheidung? Es gibt Aussagen von ihm vom Sommer 1939 in Amerika, aus denen ablesbar ist, daß Heisenberg Deutschland für die militärisch stärkste Nation in Europa hielt und ihm von daher ein Sieg Deutschlands im europäischen Rahmen nicht unmöglich erschien. Ich weiß, daß er so dachte. Aber Heisenberg zweifelte auch nicht im mindesten daran, daß Amerika einen solchen Sieg Deutschlands nie dulden würde. Gegen Amerika aber hatte Deutschland keine Chance. Noch eindeutiger wurde alles, wenn man auf der anderen Seite Deutschlands das riesige russische Reich sah, an dem auch schon das Heer Napoleons verblutet war. Ein Blick auf den Globus enthüllte doch nur zu deutlich die wahren Machtverhältnisse, an denen auch Deutschlands militärische Stärke scheitern mußte. Aber durfte er solche Gedanken aussprechen? Er gab dem, was er sagen wollte, eine indirekte Form, aber seine Freunde in Amerika durchschauten dies nicht. Bei ihnen hatte seine Bemerkung über die Stärke Deutschlands großen Schrecken hervorgerufen. Erst sehr viel später verstanden einige von ihnen, daß er ihnen hatte sagen wollen: »Es kommt dann also auf Euch an, was aus Europa wird«, und daß er ihnen damit einen Teil der Verantwortung übertrug. Und mit welcher Spannung wartete Heisenberg dann auf den Eintritt Amerikas in den Krieg und war tief beunruhigt, daß die USA so lange damit zögerten.

So ist es wohl deutlich, daß diese beiden Aussagen keinen Widerspruch enthalten. Es sind verschiedene Aspekte derselben Situation, nämlich der, daß Deutschland in Wirklichkeit nicht die geringste Chance hatte, den Krieg zu gewinnen. Und das bedeutete eben auch auf der anderen Seite, daß Heisenberg sich klar darüber war, auf der Seite des Verlierers zu sein, wenn er in Deutschland bliebe.

Das Emotional-Romantische, das noch vor zwei Jahren seine Entscheidung beeinflußt haben mochte, war jetzt, 1939, einer sehr viel größeren Bewußtheit gewichen und lenkte höchstens noch vom Unterbewußtsein her seine Entschlüsse. Jetzt hatte er sich zu ganz einfachen, von seiner eigenen Moral diktierten Entscheidungen durchgerungen, daß er eben nach Deutschland gehöre und nicht einfach weglaufen könne, wenn Deutschland in Schuld, Unglück, ja sogar Verbrechen geraten war. Es war das Gefühl, man könne sich nicht einfach selbst in Sicherheit bringen und die anderen, die weniger glücklich dran waren, ihrem Schicksal überlassen. Er fühlte sich verantwortlich für alle die, die seine Freunde, seine Gesinnungsgenossen waren, und sogar auch für die vielen Unbekannten, die ebenso verzweifelt, bedrückt und hoffnungslos waren und dem Untergang nicht entrinnen konnten. Er hatte wohl lange geschwankt, ob er es der Familie schuldig war, sie in Sicherheit zu bringen. Aber er hatte gegen sie entschieden und hatte beschlossen, mir das Dableiben in der Katastrophe zuzumuten. Und er kaufte für uns das kleine Haus am Walchensee in der Hoffnung, dort könnte die Familie einen sicheren Unterschlupf finden und den Krieg überleben. Tatsächlich habe ich dort fast vier Jahre lang mit den Kindern gelebt.

Heisenberg hat nie daran geglaubt, daß sein Weggang aus Deutschland auch nur das geringste hätte bewirken können – nichts hätte sich an dem Verlauf der Dinge geändert, wenn er seinen Dienst quittiert und Deutschland verlassen hätte, nichts außer dem einen, daß er selbst seine »weiße Weste« gerettet hätte; dafür aber hätte er die anderen, die Freunde und Schüler, die weitere Familie, die Physik und mit ihr seine Kollegen im Stich gelassen, um sich selbst in Sicherheit zu bringen – diese Vorstellung war ihm unerträglich und hätte ihn zweifellos tief unglücklich gemacht und sein Gewissen schwer belastet.

Es gab aber noch zwei andere gewichtige Gründe, die ihn bewogen hatten, seine Entscheidung so zu fällen und nicht anders. Der erste Grund war: er ahnte, daß er, wenn er auswandern würde, verpflichtet sein würde, die Gastfreundschaft, die man ihm gewährte, damit zu beantworten, daß er mit allen seinen Kräften an der Entwicklung – wahrscheinlich – nuklearer Waffen arbeiten müßte. Seit der Entdeckung der Kernspaltung durch Otto Hahn wußte er, daß so etwas zumindest im Bereich des Möglichen liegen würde. Aber die Vorstellung, an einer Atombombe mitarbeiten zu müssen, die dann womöglich auf Deutschland abgeworfen würde, Zerstörung und Tod in unvorstellbarem Ausmaße akkumulierend – das war ihm ein Alptraum; das wollte er nicht. Und der Gedanke, seine Anwesenheit in Amerika könnte auch nur im geringsten ausschlaggebend sein für den Sieg über das Nazideutschland, erschien ihm geradezu absurd. Schließlich war man drüben nicht auf ihn angewiesen, dessen war er ganz sicher. Er wußte viel zu gut, wieviele glänzende Physiker drüben in den Staaten arbeiteten: Fermi, Teller, Bloch, Bethe, Weißkopf – die meisten waren Mitarbeiter oder Schüler von ihm gewesen. In Deutschland, so hoffte er, würde er die Freiheit haben zu entscheiden, was er tun würde; da war er nur seinem eigenen Gewissen verpflichtet. Daß er auch da in größte Bedrängnis kommen, ja vielleicht sogar das Leben verlieren könnte, das kalkulierte er ein. Aber Heisenberg war in seinem Kern Optimist und war nicht bereit, sich in düstere Spekulationen zu verlieren.

Wie klar und scharf umrissen ihm alle diese Gedanken bereits im Frühjar 1939 vor Augen standen, als er seinen Entschluß faßte, in Deutschland zu bleiben, kann niemand wirklich genau sagen; auch ich kann es nicht mehr rekonstruieren, wann er mit mir in dieser Weise zum erstenmal darüber gesprochen hat. Daß die Möglichkeit einer schrecklichen Waffe in der Uranspaltung steckte, hatte er ja sofort gesehen. Wie weit, wie schnell aber, und mit welchem Aufwand solche Möglichkeiten realisierbar sein würden, davon hatten zu dieser Zeit wohl selbst die amerikanischen Physiker noch keine klaren Vorstellungen.

Es ist wohl auch kein Zweifel darüber, daß Heisenberg geglaubt hatte, der Krieg würde schneller zu Ende gehen, als es dann wirklich geschah. Es war ihm unvorstellbar, daß das Volk, das im Innern so geknebelt und bedrängt war, die Kraft aufbringen könnte, so lange standzuhalten. Er hatte mit etwa zwei Jahren gerechnet und glaubte, dann sei die

Kraft des Volkes erschöpft. Dabei hatte er wohl die Rückwirkungen der ersten großen Erfolge unterschätzt; und er unterschätzte ebenso wohl auch die alte, bekannte These, daß ein Krieg gegen einen äußeren Feind die inneren Kräfte in ungeahntem Maße zu mobilisieren fähig ist. Wer wußte denn überhaupt, wie weit das Volk wirklich von dem terroristischen Regime des Nationalsozialismus geschwächt war? Heisenberg stritt manchmal mit seinem Freunde Bonhoeffer darüber, wie groß der Anteil derer war, die auf den Erfolgswogen des Nationalsozialismus schwammen und bereits das irrationale Gift eines überdimensionierten Selbstbewußtseins in sich aufgenommen hatten, und derer, die unter dem Terror litten, moralisch geschwächt, ja gebrochen waren oder sogar in innerem Widerstand dagegen lebten. Bonhoeffer meinte, es wären wohl 80 Prozent des Volkes, die hinter Hitler und seiner Regierung ständen, sich mit ihr identifizierten und bereit wären, dafür alle Opfer zu bringen, die von ihnen gefordert wurden. Heisenberg dagegen meinte, es wären nicht mehr als 20 Prozent. Mit diesen so ungewissen Faktoren war es für jedermann in Deutschland fast unmöglich abzuschätzen, wie lange dieses kleine Land im Stande sein würde, den Kampf mit einem so großen Teil der Welt, den es herausgefordert hatte, durchzuhalten.

Wenn Heisenberg immer wieder sagte, er wolle in Deutschland bleiben, weil er dort gebraucht würde, so meinte er damit nicht, daß er für Deutschland Atombomben bauen wollte, was er ja auch faktisch nicht versucht hat, sondern er meinte damit das, was er sich bei seinem Dableiben als Aufgabe gesetzt hatte: »Inseln des Bestandes« hinüberzuretten in die Zeit des neuen Anfangs. In einem Brief vom 25. 1. 46, den er mir schrieb, kurz nachdem er aus der Gefangenschaft in England nach Deutschland zurückgekommen war, heißt es: »... Seit 1933 ist mir klar gewesen, daß sich hier eine entsetzliche Tragödie abspielt, nur das

Ausmaß und das Ende war mir nicht vorstellbar; und ich bin damals hier geblieben, um auch nachher da zu sein und zu helfen. Genau das hatte ich auch meinen amerikanischen Freunden im Sommer 39 gesagt, und das ist von den Besten unter ihnen auch gut verstanden worden ... Ich will jedenfalls in den nächsten Jahren versuchen, hier am Wiederaufbau zu helfen, ... es muß doch auch gelingen, wieder etwas von dem regen geistigen Leben der 20er Jahre zu wecken ...« Das war es, was ihm den Vorsatz und die Kraft zum Überleben gab.

Heisenberg hatte ganz sicher zu dieser Zeit, als der Krieg ausbrach, starke Schuldgefühle seinem Land gegenüber. Er spürte, daß er politisch nicht wach genug gewesen war, daß er geträumt hatte, indem er nur Physik gemacht oder sich in die Romantik eines sorglosen Naturlebens geflüchtet hatte, statt wachen Sinnes seine ganze Kraft einzusetzen, um gegen Hitler den moralischen Widerstand zu mobilisieren. Und nun war es zu spät, und es blieb nichts als zu retten, was noch zu retten war. Nun mußte man abwarten, bis das »Unwetter vorübergezogen« war, wie er manchmal sagte. Und wenn man das Unwetter überlebt hatte, dann mußte man von vorne anfangen, versuchen neu aufzubauen, eine neue Ordnung in neuem, besserem Geiste. Allein konnte er dies nicht. Er mußte also versuchen, Menschen gleicher Gesinnung hinüberzuretten in den neuen Anfang. Das war der andere Grund für seine Entscheidung. Von diesen Vorstellungen war er ganz erfüllt. Immer wieder dachte er schon während des Krieges daran herum, was man tun müsse, später, wenn alles vorbei sein würde, um die alten Fehler nicht wieder zu machen. Heisenberg beschreibt in seinem Buch ›Der Teil und das Ganze‹ selbst sehr eindringlich im 15. Kapitel, wie selbst damals seine Gedanken um die Zukunft kreisten, als er zusammen mit Butenandt den ersten schweren Luftangriff auf Berlin im Luftfahrtministerium mit knapper Not überstanden hatte. Über Schuttberge mußten sie klettern und liefen nun durch die brennende Stadt hinaus nach Dahlem, voller Sorge, wie es wohl daheim aussehen würde. Heisenberg, der zu dieser Zeit bei seinen Schwiegereltern in Steglitz auf dem Fichteberg wohnte, hatte gerade seine beiden ältesten Kinder zu Besuch; und während er und Butenandt sich auf dem Wege immer wieder den brennenden Phosphor von den Schuhen wischen mußten, sahen sie den roten Schein am Himmel über dem brennenden Steglitz und sprachen von der Zeit nach dem Kriege, was man dann tun und wie diese neue Ordnung aussehen müsse, an der sie dann mitaufbauen und für die sie auch verantwortlich sein würden.

Heisenbergs Gedanken verstiegen sich bei solchen Überlegungen nicht in politische Spekulationen allgemeiner Art. Wenn er sich selbst mit den Problemen des Wiederaufbaus beschäftigte, so dachte er dabei an die Neubelebung des wissenschaftlichen Lebens, und seine Gedanken kreisten um die Verantwortung des Wissenschaftlers, um die Verständigung der Völker untereinander durch Wissenschaft und Technik, und er fragte nach der Möglichkeit, der Politik durch kritische und denkgeschulte Wissenschaftler eine beratende, sachliche und kontrollierende Instanz an die Seite zu stellen. Damals begann in ihm die Idee des Forschungsrates zu reifen, eines Gremiums von Wissenschaftlern, das der Regierung zugeordnet sein sollte. Die Stärke dieser Verpflichtung, für die Zukunft eine bessere und womöglich nicht so leicht pervertierbare Ordnung neu aufzubauen, kann bei seinem Entschluß, in Deutschland zu bleiben, gar nicht hoch genug angesetzt werden.

V. Kapitel

Krieg und die Reise
nach Kopenhagen

Heisenberg kam von Amerika mit dem letzten Schiff im August 1939 nach Europa zurück. Das Schiff war fast leer. Wer ging schon freiwillig zurück in diesen Hexenkessel Deutschland? Es ist leicht zu verstehen, daß die Amerikaner über einen solchen Schritt falsche Vermutungen anstellten und Heisenberg doch für einen verkappten Nazi hielten.

Wir, d. h. ich und die Kinder, hatten inzwischen unser kleines Haus in Urfeld am Walchensee bezogen, das wir im Frühjahr von der Tochter Corinths erworben hatten. Diese lebte damals mit ihrem Mann in Hamburg und trug sich mit dem Gedanken, Deutschland auf immer zu verlassen. Wir hatten vor, in Zukunft der Kinder wegen große Teile des Sommers in Urfeld zu verbringen, während wir im Winter alle zusammen in Leipzig sein wollten. Urfeld war damals ein stiller Ferienort von etwa zehn kleinen Häusern und zwei Hotels, alle nur von »Zugereisten« bewohnt. Unser Häuschen lag hoch am Hang, ohne eine Zufahrt und ganz versteckt in den Bäumen. Dort traf uns die Nachricht vom Kriegsbeginn, die Nachricht, auf die ich im tiefsten Innern schon den ganzen Sommer mit Angst gewartet hatte. Trotzdem traf mich die Wirklichkeit dann wie ein Blitzschlag, und ich brauchte Tage, um meine Fassung wiederzugewinnen. Da Heisenberg einen Stellungsbefehl für den ersten Mobilmachungstag in der Tasche hatte, rechneten wir nun täglich mit seiner Einberufung. In dieser Situation versuchten wir, für den Fall, daß er nicht mehr zurückkäme, unsere Angelegenheiten so weit wie möglich zu ordnen.

Daß Heisenberg im Besitz eines Stellungsbefehls war, lag daran, daß er zweimal eine militärische Kurzausbildung, wie sie damals in der Regel von Männern über 35 Jahre verlangt wurde, mitgemacht hatte. 1936 war er für zwei Monate in Memmingen und 1938 in Sonthofen bei den Gebirgsjägern gewesen. Er hätte sich wahrscheinlich von dieser Pflicht befreien können, wenn er sich darum bemüht hätte. Diese militärische Kurzausbildung der Reservisten hatte jene Art von erzwungener Freiwilligkeit, die so typisch für die Nazizeit war und mit der man starke Pressionen dem einzelnen gegenüber auszuüben verstand. Heisenberg meinte darüber hinaus, mit dieser Pflichterfüllung seine Loyalität dem Staate gegenüber ohne zu große Zugeständnisse dartun zu können, und hoffte, dadurch einen gewissen Schutz zu erlangen gegen die Angriffe, die aus den Reihen der Partei kamen. Überdies war er solch einer Übung gar nicht so ganz abgeneigt. Er empfand sie als eine körperliche Ertüchtigung, und das rauhe Leben in den Bergen zusammen mit den einfachen Menschen, unter denen er leicht Kontakt und auch Anerkennung fand, machte ihm sogar etwas Freude. So waren ihm die Wochen Soldatenleben im Gebirge kein allzu großes Opfer. Aber während der Dienstzeit in Sonthofen geriet er in die »Tschechenkrise«, und der Zug, der, sollte es ernst werden, seine Einheit an die tschechische Grenze zum Einsatz bringen sollte, stand tagelang unter Dampf. Damals war alles nochmal gnädig an uns vorübergegangen – nun aber war es unwiderruflich ernst geworden, und es gab – so schien es – kein Entrinnen mehr, es galt nur noch, die Katastrophe zu überstehen.

Statt der Einberufung an die Front, die wir erwarteten,

erhielt Heisenberg nach wenigen Tagen die Nachricht, er habe sich unverzüglich im Heereswaffenamt in Berlin einzufinden. Dort erhielt er den Auftrag – so formulierte er es später in einem Interview mit David Irving* –, »mit einer Gruppe von anderen Physikern über die Frage der Nutzbarmachung von Atomenergie zu arbeiten«. Man sagte ihm: »Überlegen Sie sich doch mal, ob Sie glauben, daß unter den jetzt bekannten Gegebenheiten – den bekannten Eigenschaften der Uranspaltung – eine Kettenraktion überhaupt möglich ist, und wenn ja, dann schreiben Sie doch bitte auf, was Sie darüber denken.« Dies war das Ergebnis einer Sitzung im Heereswaffenamt am 20. September 1939. Für uns bedeutete das, daß Heisenberg einstweilen in Leipzig bleiben konnte, und so kam es, daß sich vorerst unser Leben nicht wesentlich änderte.

Bereits zwei Monate später hatte Heisenberg herausgefunden, daß – ich zitiere wieder aus dem Interview mit Irving – »man eine Kettenreaktion wahrscheinlich machen könne, wenn man Neutronen abbremsen kann, ohne sie gleichzeitig wegzuabsorbieren, und daß es eigentlich nur zwei Substanzen gibt, die das anständig tun: das schwere Wasser und die Kohle«. Zusammen mit Professor Robert Döpel, seinem Mitarbeiter, entwickelte Heisenberg dann in den Jahren 1940/41 eine Vorform eines Atomreaktors. Dies alles spielte sich nur in kleinstem Rahmen ab, in den Räumen des Leipziger Instituts: Neben den gigantischen Anstrengungen der Amerikaner wirkt dies tatsächlich kaum wie dringlich gezielte Kriegsforschung, obwohl diese Arbeiten später nichtsdestoweniger für die ganze deutsche Reaktor-Entwicklung grundlegende Bedeutung gewonnen haben. Einmal geriet der kleine Versuchsreaktor in Brand und drohte kritisch zu werden. Es gab keine geringe Aufregung,

* Irving ist der Verfasser des Buches ›Der Traum von der deutschen Atombombe‹, Gütersloh 1967.

wußte man doch gar nicht so ganz sicher, ob dies nicht womöglich der Anfang einer Kettenreaktion sei, die man dann nicht mehr unter Kontrolle halten könnte. Aber es ging doch alles noch gut ab. Nur die gerufene Feuerwehr schüttelte den Kopf, so seltsame Dinge wie da hatten sie alle noch nie erlebt! Und am nächsten Tag flüsterte die ganze Stadt von der geheimnisvollen Wunderwaffe, die dort im physikalischen Institut gebaut würde.

Die theoretischen Berechnungen zeigten immer deutlicher, daß ohne Zweifel aus der Atomenergie durch Kettenreaktion auch ein unerhört wirksamer Sprengstoff zu gewinnen sei, der alles Dagewesene weit übertreffen würde. Aber Heisenberg entnahm seinen Berechnungen ebenfalls, daß der Aufwand, der für eine solche Entwicklung nötig sein würde, immens sein müßte und daß der Weg bis zum Ziel unübersehbare Schwierigkeiten zutage fördern könnte, deren Überwindung wahrscheinlich Jahre in Anspruch nehmen würde. Bei diesem Stand der Dinge wurde am 4. Juni 1942 von Speer, der damals bevollmächtigter Minister für Rüstungsaufgaben war, eine geheime Sitzung im Harnackhaus in Berlin-Dahlem anberaumt, bei der Heisenberg über seine Forschungen berichten sollte, was er auch gewissenhaft tat. Nach seinen eigenen Angaben hat er bei dieser Sitzung darüber gesprochen, daß es möglich sei, Atomreaktoren zu konstruieren, die überaus viel Energie zu erzeugen in der Lage waren. Er sagte später in dem Interview mit David Irving, er habe bei der Sitzung nicht erwähnt, daß bei der Energieerzeugung auch Plutonium abfiele, aus dem dann die Atombombe gemacht werden könne – »wir wollten die Dinge möglichst klein halten!«, setzte er dazu. Als Generaloberst Milch ihn aber dann nach der Möglichkeit des Baues einer Atombombe – damals sprach man von »Uranbombe«– fragte und wie groß eine solche Bombe sein müsse, um eine Stadt wie London zu zerstören, antwortete er: »So groß wie eine Ananas.« Dr. Telschow, der Generalsekretär der damaligen Kaiser-Wilhelm-Gesellschaft, berichtete, im Anschluß an diese Sitzung habe Heisenberg ihm gesagt: »Alle Verfahren, die wir bisher kennen, um eine Uranbombe zu machen, sind so ungeheuer kostspielig, daß es vielleicht viele Jahre dauern und daß es einen ganz enormen technischen Aufwand brauchen würde, der Milliarden kosten würde.«

Heisenberg hat sich also hinter den Schwierigkeiten der Produktion der Bombe und ihren Kosten verschanzt. Er tat nichts dazu, um die verantwortlichen Leute der Regierung dazu zu bewegen, den Bau der Atombombe ernsthaft in Angriff zu nehmen – was er zweifellos auch hätte erreichen können, wenn er das gewollt hätte. Albert Speer schreibt in seinen Erinnerungen über die Ergebnisse dieser Sitzung: »Auf Vorschlag der Kernphysiker verzichteten wir schon im Herbst 1942 auf die Entwicklung der Atombombe, nachdem mir auf meine erneute Frage nach den Fristen erklärt worden war, daß nicht vor drei bis vier Jahren damit zu rechnen sei. Dann mußte der Krieg längst entschieden sein. Statt dessen gab ich Genehmigung, einen energieerzeugenden Uranbrenner zum Betreiben von Maschinen zu entwickeln, an denen die Marineleitung für die U-Boote interessiert war.«

Es ist selbstverständlich, daß Heisenberg damals unter dem Gebot strikter Geheimhaltung gestanden hat. Jede Verlautbarung über seine Arbeit wäre Landesverrat gewesen. Das ist der Grund dafür, daß er in den ersten Jahren des Krieges fast nie etwas mit mir darüber gesprochen hatte und ich kaum Anhaltspunkte dafür habe, wie er sich mit dem Problem der Bombe auseinandergesetzt hatte. Daß ihn das rein physikalische Problem reizte, steht außer Frage. Aber über die Konsequenzen seines Tuns und die Problematik der Bombe hat er erst später mit mir gesprochen, als wir schon ganz nach Urfeld übergesiedelt waren, so daß er kaum fürchten mußte, ich könnte etwas ausplaudern. Wir waren zu dieser Zeit auch viel zu sehr auf die tödliche Gefahr unserer Situation eingestellt, als daß dies eine wirkliche Versuchung für mich hätte sein können. Für ihn aber bedeutete ein solches Gespräch Erleichterung und Befreiung.

Die Sitzung vom 4. Juni 1942, in deren Verlauf über das Schicksal des Uran-Projekts weitgehend die Würfel gefallen waren, war der Wendepunkt auch in unserem Dialog. Ich erinnere mich gut, daß er mir Einzelheiten der Sitzung erzählte. Das Gespräch über die Atombombe, das ich noch am klarsten im Gedächtnis behalten habe, muß auch in dieser Zeit stattgefunden haben. Wir befanden uns dabei in dem Wohnzimmer unseres Urfelder Hauses. Dort fühlten wir uns sicher und hatten das Gefühl, unbesorgt sprechen zu können. Heisenberg war für ein Wochenende zu uns gekommen und saß entspannt und ruhig im Stuhl und erzählte mir, daß es nun ganz sicher sei, daß man Atombomben bauen könne. Ich war tief erschrocken darüber und fragte ihn: »Und was tut ihr, wenn man euch zwingt, Atombomben zu machen?« Heisenberg antwortete ganz gelassen, so daß man spürte, daß er diese Frage schon unzählige Male durchdacht hatte: »Mache Dir keine Sorgen. Wir werden keine Atombombe machen. Die Entwicklung einer Bombe ist ein riesiges Projekt. Es würde wahrscheinlich Jahre dauern. Und da kommt uns ein Erlaß Hitlers zu Hilfe, daß kein Projekt in Angriff genommen werden dürfe, dessen Entwicklung länger als ein halbes Jahr dauert. Zweitens ist die wirtschaftliche Situation in unserem Lande mit den ständigen Luftangriffen und der bereits bis an den Rand der Möglichkeiten ausgelasteten Kriegsindustrie unser Verbündeter. Die Decke ist einfach zu kurz! Die Wirtschaftskapazität kann einen solchen technischen Aufwand, der notwendig wäre, um eine Bombe zu entwickeln, gar nicht mehr aufbringen. Es müßten alle anderen Kriegsarbeiten und Kriegsprojekte gestoppt werden, um die Kräfte für dieses große und schwierige Projekt freizubekommen – und daß das nicht möglich ist, liegt auf der Hand. Wir haben Glück, daß es so ist und daß uns diese Tatsachen davor bewahren, eine echte Entscheidung fällen zu müssen. Sie wird für uns gefällt, und dafür sind wir dankbar. Und dann« – setzte er noch hinzu –, »selbst wenn uns Hitler zwingen würde, die Atombombe doch zu bauen – ich bin der Meinung, daß man einen Menschen gar nicht zwingen kann, Erfindungen oder neue wissenschaftliche Entwicklungen zu machen, wenn er das nicht will. Schöpferisches Denken braucht einen gewissen Freiheitsraum, in dem allein es sich entfalten kann, und jeder Zwang oder gar Gewalt wird sich hemmend, wenn nicht sogar blockierend auf diese schöpferische Kraft auswirken und führt weiter ab vom Ziel.« Auf diese Weise stellte sich für Heisenberg das Problem dar, und aus dieser Überzeugung heraus gewann er die moralische Kraft, seinen Weg unbeirrt weiterzugehen. Jede Spekulation darüber, was gewesen wäre, wenn …, ist absolut müßig. Niemand kann darüber urteilen, und die Tatsachen haben ihm recht gegeben. Erst als der Krieg mit Deutschland bereits zu Ende gegangen war, ist es den Amerikanern gelungen, die Atombombe fertigzustellen, und dies mit einem Kräfteaufwand sondergleichen, dem wir nichts Ebenbürtiges jemals an die Seite hätten stellen können. Dem »Manhattan-Project« – dies war der Deckname für die Organisation der Atombomben-Entwicklung in USA – standen nicht nur die noch unerschöpften wirtschaftlichen Ressourcen des weiten und reichen Landes zur Verfügung, sondern auch die große Zahl der brillantesten Köpfe der modernen Physik und ein menschliches Potential, das durch das verbrecherische Regime des Gegners zu höchster Opferbereitschaft fähig war. Alles, was wir in dieser Hinsicht hätten leisten können in unserem Lande, hätte der größten Anstrengung bedurft und eines freien Kräftepotentials, das nirgends mehr vorhanden war. Heisenberg hatte diese Situation durchaus realistisch eingeschätzt. Er war dankbar dafür, daß es so war und daß diese Situation seine eigene moralische Überzeugung und Entscheidung so sinnfällig untermauerte, so daß sich die Frage nach der Atombombe bis zur äußersten Konsequenz gar nicht erst zuspitzen konnte. Das alles machte es ihm möglich, im Kriege mit nur geringem wirtschaftlichen Aufwand an einem kleinen Forschungsreaktor zu arbeiten. Dies sind die Hintergründe dafür, daß in Deutschland nie der Versuch unternommen worden ist, eine Atombombe zu konstruieren.

In dem Urfelder Gespräch waren Heisenbergs Überlegungen zu dem Problem der Atombombe bereits klar geordnet und umrissen. Aber es gab zweifellos vor diesem Zeitpunkt lange Strecken, in denen er und seine engeren Freunde in der dunklen Problematik ihrer Lage gefangen und geängstigt waren und ihre Überlegungen noch nicht so klare Gestalt gewonnen hatten wie bei unserem Gespräch, sondern in ihnen als unentwegte Auseinandersetzung, als Sorge, Angst, Zweifel und Bedrängnis lebten. Aus dieser Situation heraus war der Wunsch entstanden, noch einmal nach Kopenhagen zu fahren, um Niels Bohr zu sehen und zu sprechen. Dänemark war im Mai 1940 von den Deutschen besetzt worden. Durch Besprechungen mit den deutschen Behörden in Kopenhagen war es Heisenberg gelungen, daß Bohr und sein Institut unangetastet bleiben konnten. Dadurch war für Heisenberg eine Reise nach Kopenhagen durchaus im Bereich des Möglichen. Ich erinnere mich noch gut daran, wie freudig und eifrig Heisenberg nun an der Verwirklichung dieses Wunsches arbeitete. Er scheute keinen Weg zu Behörden, kein Antrag und Bittgesuch war ihm zu mühsam, um an dieses Ziel zu gelangen. In Deutschland war er einsam. Niels Bohr war für ihn zu einer Vaterfigur geworden. Heisenberg hatte in Tisvilde, dem schönen Ferienhaus der Bohrs, mit den Bohr-Kindern gespielt und sie im Ponywagen spazieren gefahren, er hatte mit Bohr große Segelfahrten auf dem Meer gemacht, Niels war bei ihm auf der Skihütte gewesen – sie hatten zusammen um die Probleme der Physik gerungen, und es schien ihm, als könne es nichts geben, was er nicht mit ihm hätte besprechen können. Auf diesem Hintergrund seines noch ganz ungebrochenen Vertrauens zu seinem Lehrer und Freund – und auch zu der ganzen »internationalen Familie der Physiker«, der er sich so tief verbunden fühlte – muß man Heisenbergs Wunsch nach Kopenhagen zu gehen, verstehen.

Im September 1941 war es dann so weit. Heisenberg wurde von den Bohrs trotz ihrer schwierigen politischen Lage, mit aller Herzlichkeit und Gastfreundschaft aufgenommen – ein bewegendes Zeichen warmer persönlicher Freundschaft. Um so schwerer traf beide dann das so völlige Scheitern des gemeinsamen Gesprächs.

Es ist immer wieder über diese Kopenhagener Reise gerätselt worden, und Niels Bohr hatte selbst – so sieht es aus – wohl über ihre Absichten und Motivationen einen Eindruck gewonnen, der zu Heisenbergs wirklichen Intentionen in einem tragischen Gegensatz stand. Ich kann mich hier in diese schwierige und von so vielen schmerzlichen Emotionen überlagerte Kontroverse über die Begegnung der beiden Männer in Kopenhagen nicht hineinmischen. Mein Beitrag dazu kann nur darin bestehen, daß ich das berichte, was ich davon erlebt habe und wie es sich in unseren Gesprächen darstellte und widerspiegelte. Dies sei ausdrücklich gesagt.

In den Entschluß von Heisenberg, nach Kopenhagen zu fahren, fließen sicherlich verschiedene Motivationen ein, wie bei allen Handlungen, die schwer zu durchschauen sind. Es ist anzunehmen, daß ihm aus der Verbundenheit mit

Niels Bohr der ganz einfache Wunsch nach Aussprache und Verständigung erwachsen war – Heisenbergs Gefühle waren stets von großer Einfachheit; und der Rat eines älteren, an politischer und menschlicher Erfahrung reiferen Freundes war ihm immer wichtig gewesen. Aber es wird in diesem Zusammenhang auch gesagt, Heisenberg habe sich von Bohr Absolution holen wollen, um an der Atombombe arbeiten zu können. Davon ist kein Wort wahr. Hätte er wirklich auf Absolution gehofft, dann wäre ja dieses Gespräch zu seiner vollen Zufriedenheit verlaufen, denn in gewissem Sinne hatte ihm Bohr tatsächlich eine Art von Absolution erteilt. Er sagte ihm, er verstünde durchaus, daß man im Kriege alle seine Fähigkeiten und Energien für sein Land einsetzen müsse – das wäre ganz verständlich und in gewisser Weise auch richtig –, und Bohr überhörte dabei, daß es Heisenberg um ganz andere Dinge ging. Heisenberg war durch Bohrs Stellungnahme in Wirklichkeit geradezu schockiert; er hatte sie nicht erwartet, und sie zeigte ihm, daß man aneinander vorbei redete, sich nicht mehr verstand und das Gespräch womöglich zum Scheitern verurteilt war.

Worum aber ging es Heisenberg letzten Endes in diesen Gesprächen mit Bohr? Die Wahrheit war, daß Heisenberg das Gespenst der Atombombe vor sich sah und Bohr signalisieren wollte, daß in Deutschland keine Atombombe gebaut würde und gebaut werden könnte. Das war das zentrale Motiv. Wenn Bohr dies den Amerikanern mitteilen könnte – so hoffte er –, dann würden sie vielleicht auch Abstand nehmen von dieser so unvorstellbar teuren und aufwendigen Entwicklung. Ja, er hoffte wohl insgeheim, er könnte mit seiner Nachricht verhindern, daß eines Tages auf Deutschland eine Atombombe abgeworfen würde. Diese Vorstellung quälte ihn ständig. Und daß die Atombombe für den Sieg der Alliierten nicht ausschlaggebend sein würde, davon war er fest überzeugt – die Entwicklung hat ihm darin ja auch recht gegeben. Diese vage Hoffnung war wohl das stärkste Motiv seiner Reise. Aber es kam zu keiner Verständigung. Man redete aneinander vorbei. Die beiden Männer, die einst so nahe Freunde waren, gingen tief enttäuscht auseinander, und alle weiteren Versuche einer Verständigung wurden abgebrochen.

Die Ursache zu diesem Mißverstehen muß wohl letzten Endes bei beiden Menschen gesucht werden. Bohr war auf der Seite des brutal überfallenen und besetzten Landes. Er mußte tiefe Reserven gegenüber Heisenberg haben. Die Gespräche mit ihm grenzten an Kollaboration, besonders, wenn sie wirklich in vollem Einverständnis geendet hätten – schon das war eine fast unüberbrückbare Barriere. Und so war es eigentlich ganz zwangsläufig, daß Bohr von falschen Voraussetzungen ausgehen mußte. Er kannte Heisenbergs Liebe zu seinem Lande; er wußte, daß man ihm in Amerika goldene Brücken für eine Emigration gebaut und er sie ausgeschlagen hatte – was lag näher als zu glauben, daß Heisenberg nun alle seine Kräfte für den Sieg seines Landes einsetzen würde? Hatte er nicht selbst den Amerikanern gesagt, er müsse bleiben, weil er in Deutschland gebraucht würde? Nun kam er als ein Mann der Siegernation. – Bohr war mit allen Fasern seines Herzens auf der Seite der Alliierten engagiert. Das nazistische Deutschland war ihm ein Greuel, und darüberhinaus ihm persönlich, als gefährdetem »Halbjuden«, war es eine tägliche und tödliche Bedrohung. Er erstrebte leidenschaftlich den Sieg der Alliierten. Es war ihm in dieser Situation wahrscheinlich zu schwer zu verstehen, daß für Heisenberg die Verbundenheit mit seinem Lande und seinen Landsleuten nicht gleichzeitig auch eine Verbundenheit mit dem Regime bedeutete und daß Heisenberg in der tragischen Lage derer war, die das Regime genauso verabscheuten wie er und deshalb ihre ganze Kraft und Energie nicht für einen Sieg des eigenen Landes einzusetzen vermochten.

Heisenberg hatte sich dieses alles nicht vorher klar gemacht. Ihn traf diese psychologische Situation ganz unerwartet und stürzte ihn in Verwirrung und Verzweiflung. Er selbst hatte in dem Gespräch mit Bohr ganz andere Probleme. Auf seiner Seite bestand die größte Schwierigkeit darin, daß er über sein eigentliches Anliegen nicht frei und offen reden konnte. Er hatte nicht bedacht, daß man in der freien Welt nicht gewohnt oder gar geübt war, die verklausulierte Sprache zu verstehen, mit der man sich in einer terroristisch regierten Gesellschaft zu verständigen pflegte. Er hatte schon mit Bedacht für das zentrale Gespräch mit Niels Bohr einen Spaziergang gewählt, so wie wir es auch zu Hause taten, wenn wir über Politik sprechen wollten, und es war auch kein Dritter anwesend, der Zeuge des Gesagten hätte sein können. Und dennoch fühlte sich Heisenberg nicht sicher, hätte doch jedes Wort, das er sagte, als Hochverrat gegen ihn verwendet werden können und ihn das Leben gekostet. In dem Augenblick, wo er auch nur einmal öffentlich zitiert worden wäre, wäre sein Leben verwirkt gewesen. Wie leichtfertig man in der freien Welt mit Gesagtem und Geschriebenem umging, das hatte er erst kürzlich erfahren, als er einen Brief aus der Schweiz erhalten hatte, in dem es hieß: »Lieber Kollege Heisenberg! Ich möchte Ihnen mitteilen, daß sich unser Kollege G. (ausgeschriebener Name) unter einem anderen Namen jetzt in dem und dem Orte versteckt hält. Es wäre schön, wenn Sie etwas für ihn tun könnten; er ist gänzlich mittellos.« Heisenberg kam an diesem Tag ganz verstört nach Hause. Natürlich war der Brief geöffnet worden, und nicht nur, daß er selbst damit in Gefahr geraten war, auch für G. kam jetzt jede Hilfe zu spät. Heisenberg mißtraute der Vorsicht der anderen, derer, die keine Vorstellung von den Methoden der totalen Überwa-

Rosen, Gladiolen, Zinnien, Mignondahlien
Florist-Meisterprüfung Grünberg

POSTKARTE

IDEAL
M2

Herrn

Markus Böllert

Peilgrasweg 18 B

7   Stuttgart 70

Frankens den 20.1.198'
Liebes Markus! für Deine
liebe Karte aus Finkenwoldel
recht herzl. Dank — Ich habe mich
sehr darüber gefreut. (Mein Konto
hielt ihn sehr lange für Dich
wie die Festtage behalten —
als Ergänzung gedacht für die
in Deinem Album schon auf-
brechenden Fragen nach der
* Freiheit des Lebens oberfllxxxn
Forschung" der das sord
die Rückseite sehr der Neue auf
heißt wurde bei der Physik u. bei
der Psychotechnik u. in anderen
Disziplinen - Nimm auch das Fan-
zeu feuilic herzl. Grüße von
Deiner Tante Mielxxn

10 Fermi, Debye, Heisenberg und Bohr während einer Konferenz in Rom vor dem physikalischen Institut (in den 30er Jahren)

11 Heisenberg in den 30er Jahren (links oben)
12 Heisenberg 1931 (rechts oben)
13 Heisenberg am Bodensee kurz nach seiner Hochzeit (1937) (links unten) (Aufnahme von Edith Kuby)
14 Auf der Skihütte mit Niels Bohr (etwa 1931) (rechts unten)

15 Im Herbst 1937 in Kopenhagen (oben)

16 Heisenberg, Max von Laue und Otto Hahn in der Zeit des Aufbaues des Göttinger Instituts (1946) (unten)

17 Das Urfelder Haus (oben)
18 Farm-Hall, der ›goldene Käfig‹ der zehn deutschen Atomforscher (unten)

chung hatten. Er mußte vermeiden, daß es hieß: »Heisenberg hat gesagt, daß ...« Deshalb konnte er nicht direkt und offen reden.

Heisenberg hat in seinem Buch ›Der Teil und das Ganze‹ versucht, das Gespräch zu rekonstruieren. Aber sicherlich war es auf beiden Seiten derart emotionsgeladen, daß die Rekonstruktion nur wie ein sehr abstrahierender Extrakt erscheint. Immerhin zeigte er, wie vorsichtig beide Männer formulierten und miteinander umgingen, und daß Bohr im wesentlichen nur den einen Satz gehört hatte, daß man in Deutschland wisse, daß man Atombomben herstellen könne. Das entsetzte ihn tief, und er war darüber so erschrokken, daß er nichts anderes mehr aufnehmen konnte. Damit aber brach jedes Gespräch zwischen diesen beiden Menschen zusammen.

Um der Situation gerecht zu werden, muß man sich aber auch klarmachen, daß selbst dann, wenn Bohr alles weitere, was Heisenberg gesagt hatte, in sich aufgenommen, verstanden und akzeptiert hätte, sich doch nichts mehr an dem Ablauf des Geschehens hätte ändern lassen. Niemand in Amerika hätte Heisenberg geglaubt; sie hätten es eher als eine geschickte Finte der Deutschen aufgefaßt. Außerdem war man zu diesem Zeitpunkt schon viel zu tief in das Riesenunternehmen der Atombomben-Entwicklung verstrickt. Auch hier waren die Umstände stärker als die Bemühungen eines einzelnen, was er oft in dem Bild ausdrückte: man kann einen fahrenden D-Zug nicht mit der Hand aufhalten! Viel zuviel war bereits investiert in dieses Projekt, dessen Aufwand, verglichen mit den deutschen Verhältnissen sich ausnahm wie ein Riese gegenüber einem Zwerg. Heisenberg wußte von alledem nichts; der deutsche Nachrichtendienst hatte nicht die geringste Ahnung davon. Es ist das Tragische an dieser Episode, daß wahrscheinlich dieses Gespräch in Kopenhagen genau das Gegenteil von dem bewirkt hat, was Heisenberg sich erhofft hatte, nämlich eine Intensivierung der Arbeiten an der Bombe. Denn Bohr, von tiefen Ängsten und der Vorstellung befallen, Heisenberg habe ihn womöglich aushorchen wollen, teilte den Amerikanern mit, daß man in Deutschland an der Konstruktion der Bombe arbeite, daß man wisse, wie man Atombomben bauen könne und daß Heisenberg der Leiter dieses Projektes sei. So hatten sich die Dinge umgekehrt.

Einige Zeit nach diesem unglückseligen Gespräch, im Januar 1944, reiste Heisenberg noch einmal nach Kopenhagen, diesmal in ganz anderer Mission. Im September 1943 war Bohr bei Nacht mit einem kleinen Boot über den Sund aus Dänemark entflohen, offenbar, weil ein Judenpogrom befürchtet werden mußte. Daraufhin wurde sein Institut von der SS besetzt, und sein Mitarbeiter, Dr. Böggild wurde wegen des Verdachts der »Konspiration mit dem Feinde« verhaftet. Man hatte diese Geschehnisse auf Umwegen Heisenberg mitgeteilt, und er reiste sofort nach Kopenhagen und bot allen seinen Einfluß auf, um das Institut und Dr. Böggild wieder freizubekommen. Nach einigen Tagen intensiver Bemühungen gelang es ihm, den Kommandanten, Dr. Best, umzustimmen. Das Institut wurde wieder frei und Dr. Böggild aus der Haft entlassen. Seit dieser Zeit konnten die Kopenhagener wieder ungestört ihren Forschungen nachgehen. Allerdings mußte Heisenberg auch hier seinen Preis zahlen, indem er mit allen wichtigen Leuten der Besatzung und der Gestapo Gespräche führte, mit ihnen aß und trank und sich wie einer von ihnen unter ihnen bewegte – billiger ging es nicht.

Es hat lange gedauert, bis sich wenigstens etwas von der alten Freundschaft zwischen Bohr und Heisenberg nach dem Kriege wieder herstellen ließ und Bohr sein tiefes Mißtrauen verlor, das der Krieg und insbesondere das so mißglückte Gespräch in ihm geweckt hatte. Die alte bedingungslose Freundschaft und das ungebrochene Vertrauen, die früher zwischen ihnen bestanden hatten, konnten nie ganz wiedergewonnen werden, was Heisenberg bis zum Ende seines Lebens geschmerzt hat.

VI. Kapitel

Die Übernahme des Kaiser-Wilhelm-Instituts in Berlin und die letzten Jahre des Krieges

Ein halbes Jahr nach dem so mißglückten Besuch von Heisenberg bei seinem Lehrer und Freunde Niels Bohr in Kopenhagen, am 24. April 1942, übernahm Heisenberg die Leitung des Kaiser-Wilhelm-Instituts für Physik in Berlin-Dahlem. Dieser Schritt kam nicht überraschend, sondern war von langer Hand vorbereitet. Es ist Heisenberg sehr verübelt worden, daß er zu diesem Zeitpunkt noch eine so hohe Stellung unter dem Naziregime übernommen hat. Warum hielt er sich nicht still zurück und arbeitete im Verborgenen, wie z. B. sein so hoch geachteter Kollege Max von Laue es tat? Diese Stelle bot nur zum geringen Teil bessere Arbeitsmöglichkeiten, vor allem bedeutete sie höheres Ansehen, einen weiteren Wirkungsradius und größere politische Verantwortung. Außerdem – gab es nicht andere, ältere Kollegen, die einen größeren Anspruch auf diese Stellung hatten, Professor Bothe aus Heidelberg zum Beispiel? Und schließlich: gehörte an diese Stelle nicht ein Experimentalphysiker statt eines Theoretikers? Debye, der das Institut in den letzten Jahren vor dem Kriege geleitet hatte, war auch Sommerfeld-Schüler, aber später ganz der Experimentalphysik zugewandt, und viele meinten, daß ein Theoretiker, der sich als reiner Grundlagenforscher profiliert hatte wie Heisenberg, nicht an diese Stelle gehöre. Heisenbergs Kritiker haben alle diese Fragen gestellt und haben seinen Schritt als einen Beweis dafür angesehen, daß er doch aus Opportunismus und Ehrgeiz gehandelt habe und daß er die

Atombombe in Wirklichkeit doch habe bauen wollen. Sie argumentierten, daß er diese Chancen als Deutscher in Amerika natürlich nicht gehabt hätte – dort wäre er nur einer unter vielen gewesen. – Es war in der Tat leicht, seine Handlungen auf diese Weise zu interpretieren, denn zu dem Zeitpunkt, als Heisenberg das Institut übernahm, hatte das Heereswaffenamt, dem das ganze Projekt der nuklearen Forschung unterstellt war, beschlossen, die vielen Einzelgruppen, die verstreut in Deutschland mit nuklearer Forschung befaßt waren, zusammenzufassen und in dem Berliner Institut zu zentrieren. Heisenberg übernahm mit dem Kaiser-Wilhelm-Institut also nicht nur die höchste wissenschaftliche Forschungsstelle, die in Deutschland zu vergeben war, sondern er wurde gleichzeitig auch der Leiter der nuklearen Forschung in Deutschland.

Wie kam es dazu? Welche Rolle spielte Heisenberg in diesem ganzen Geschehen? War es tatsächlich sein Ehrgeiz, der ihn trieb, sich an die Spitze des ganzen »Uran-Projektes«, wie es jetzt genannt wurde, zu stellen? Es ist nötig, etwas genauer in die Details zu schauen, um ein klareres und richtigeres Bild dieser ganzen Vorgänge zu gewinnen.

Aber zuvor sollte vielleicht doch noch darüber etwas gesagt werden, wie es eigentlich mit diesem Ehrgeiz von Heisenberg wirklich bestellt war. Daß er ehrgeizig war, darüber besteht kein Zweifel. Schon seine Lehrer in der Schule heben diesen Ehrgeiz in seinen frühesten Zeugnissen lobend hervor. Er kam ja auch aus einer Pädagogenfamilie – man hat seinem Vater immer ein hohes pädagogisches Talent bestätigt –, und wahrscheinlich hat der Großvater, der Rektor Wecklein, der an dem gescheiten Enkel seine helle Freude hatte, ebenso wie der Vater diesen Ehrgeiz in dem jungen Heisenberg sehr bewußt gefördert. Heisenberg erzählte uns manchmal davon, wie man im Kreise der Familie Ratespiele machte und Intelligenzaufgaben stellte und er eigentlich immer schneller war als alle anderen; wie sein Vater ihm, dem Buben, eines Tages einen lateinischen Text über Zahlentheorie mitbrachte, für die er sich gerade sehr interessierte, damit er nicht die Mathematik, sondern sein Latein aufbessere, was auch glänzend gelang. Er selbst – so erzählte er mir – war einmal tief beeindruckt, als er über der Eingangstür eines Gymnasiums einen griechischen Spruch entdeckte, der etwa dies bedeutete: »Trachte danach, in allem, was du tust, immer der Beste zu sein« – und er beschloß, dies zu seinem Leitspruch zu machen. Seine hohe Begabung machte es ihm ja auch leicht, danach zu leben, und fast spielend war er dann beinahe in allen Fächern der Beste der Klasse die ganze Schulzeit hindurch. Nur im Sport gelang ihm dies nicht so ohne weiteres. Er war als Bub eher etwas zart und ungeschickt. Das ärgerte ihn, und er beschloß, dies zu ändern. Mit der Stoppuhr in der Hand, lief er, sobald es dunkel wurde, jeden Tag einige Kilometer weit um den Luitpoldpark herum, immer seine Geschwindigkeit kontrollierend. Nachdem er dies etwa 3 Jahre lang durchgehalten hatte, hatte er auch im Sport sein »sehr gut«, und es gab nun keine Schwierigkeiten mehr im Bergsteigen, Wandern und Skilaufen. 10 Jahre später war er auf Vortragsreise in Japan und wurde zum Ping-Pong-Spielen eingeladen. Er verlor, er hatte gegen die versierten Japaner keine Chance. Auf der Schiffsreise von Shanghai zurück nach Europa, die er, weil es billiger war, auf einem japanischen Schiff gebucht hatte, trainierte er systematisch und intensiv. Seitdem war er für Laien fast nicht mehr zu schlagen. Er war so begabt, daß er überall dort, wo er seinen Willen einsetzte, auch hohe Leistungen erbrachte – und er hatte Freude daran.

Außerdem war Heisenberg fleißig und hatte eine unglaubliche Fähigkeit zur Konzentration. Er verlangte von sich immer das Höchste, was es auch war: beim Schachspielen, beim Klavierspielen, bei Bergwanderungen oder beim

Skilaufen; selbst wenn er Blumen im Garten schnitt und sie in eine große Vase ordnete, tat er es mit konzentrierter Sorgfalt. Seine Sträuße waren bunt und voll üppiger Kraft.

Ich selbst hatte für diesen Ehrgeiz von Heisenberg, insbesondere, wenn er ihn beim Spielen in der Familie einsetzte, manchmal keinen Sinn. Es ärgerte mich, wenn hinter seinen Anstrengungen auch ein gewisser naiver Egoismus zum Vorschein kam. Aber es war doch immer ganz klar, daß dieser Ehrgeiz weit davon entfernt war, persönliche Überlegenheit zu demonstrieren. Weizsäcker sagte von ihm in einem Nachruf: »Er hatte einen agonalen, fairen, unbezähmbaren Leistungsehrgeiz.« Heute würde man dies wahrscheinlich gar nicht mehr mit »Ehrgeiz« bezeichnen, sondern eher sagen: er war im höchsten Maße leistungsorientiert, und man würde ihm damit auch gerechter werden. Sein Ehrgeiz war eben nicht auf »Ehre« gerichtet, er war ohne irgendeine Form von Eitelkeit. Lob, Huldigungen, Beifall und Bewunderung waren ihm relativ unwichtig. Ihn freute die Anerkennung von Menschen, die er hochschätzte, deren unbestechliches Urteil er kannte. Und er war bis zu seinem Lebensende bereit, andere um ihrer Leistung willen zu bewundern. Seine Berühmtheit trug er in den späteren Jahren fast wie eine Bürde, die man auf sich nehmen muß. Kurz vor seinem Tode sagte er zu mir: »Es besteht die Gefahr, daß ich ein Staatsbegräbnis bekommen soll. Ich möchte das nicht. Ich möchte im Kreise meiner Familie und meiner engsten Freunde zu Grabe getragen werden.« So geschah es dann auch.

Trotz seiner persönlichen Bescheidenheit war er sich aber seines Wertes durchaus bewußt, und da, wo es ihm wichtig erschien, stellte er auch hohe Ansprüche. Als er als junger Professor nach Leipzig kam und in die Dachwohnung seines Instituts einzog, war das erste, was er sich in seine sonst noch leere Wohnung stellte, ein Flügel; und dieser Flügel war das Beste, was er finden konnte, ein Blüthnerflügel von erlesener Qualität. Er war speziell für die Weltausstellung in Paris gefertigt worden und klang schöner als jeder Flügel, den er gespielt hatte. Das leistete er sich. Im übrigen war er, was seine persönlichen Bedürfnisse anging, äußerst anspruchslos. Und als er nach dem Kriege, als die Wohnungsnot noch groß war, für seine große Familie in Göttingen ein Haus mit Garten beanspruchte, machte ihm dies durchaus Gewissensbisse.

Anders in der Wissenschaft. Als es sich um die Nachfolge Sommerfelds handelte, hatte Heisenberg das entschiedene Gefühl, dieser Lehrstuhl seines Lehrers stünde ihm zu. Er war gewiß, er würde die so berühmte Schule Sommerfelds auch auf seine Weise in Ehren weiterführen können, und war gewillt, alle seine Kräfte dafür einzusetzen, um sie wieder neu aufblühen zu lassen. Das war sein Ehrgeiz und sein Stolz. Aber in Berlin lagen die Dinge ganz anders.

Die Gründe dafür, daß Heisenberg die Leitung des Berliner Kaiser-Wilhelm-Instituts übernahm, waren folgende: Professor Debye war bereits 1935 von Leipzig nach Berlin gegangen und hatte das Kaiser-Wilhelm-Institut für Physik übernommen – sehr zum Leidwesen von Heisenberg übrigens, für den gerade die Zusammenarbeit mit Debye ein wesentlicher Grund dafür gewesen war, nicht nach Zürich, sondern nach Leipzig zu gehen. Debye hatte bei der Übersiedlung nach Berlin Karl Wirtz mitgenommen, einen Mitarbeiter von C. F. Bonhoeffer, einen nahen Freund von Heisenberg. Auch Weizsäcker war zu dieser Zeit Mitglied des Berliner Instituts. Wirtz – so empfand es zumindest Heisenberg – war in gewissem Sinne der politischste Kopf unter seinen nahen Freunden und ein überzeugter Antinazi. Nach Ausbruch des Krieges hatte die deutsche Regierung Debye, der Holländer war, vor die Alternative gestellt, entweder die deutsche Staatsangehörigkeit anzunehmen und Direktor zu bleiben oder Deutschland zu verlassen. Debye ließ sich für Gastvorlesungen nach Amerika beurlauben und kehrte nicht wieder nach Deutschland zurück. Das Heereswaffenamt hatte daraufhin das verwaiste Institut beschlagnahmt und hatte Dr. Diebner als kommissarischen Leiter eingesetzt. Als das Heereswaffenamt in dieser Situation beschloß, die in Deutschland verstreut an der nuklearen Forschung arbeitenden Stellen zusammenzufassen und ihnen eine zentrale Leitung zu geben, bot sich das Berliner Institut dafür wie von selbst an. Wirtz und seine Freunde erkannten die damit verbundene große Gefahr. Sie fürchteten, daß – so wie man es ja schon an anderen Instituten erlebt hatte – das Institut und damit das ganze Uran-Projekt mit politischen Funktionären durchsetzt würde. Damit aber würde die Leitung nicht mehr in den Händen eines zuverlässigen Wissenschaftlers liegen, sondern bei Parteifunktionären, so daß die Wissenschaftler die Kontrolle über das Uranprojekt verlieren müßten. Es gab auch gewisse Kriterien dafür, daß man im Berliner Ministerium den Plan hatte, das Institut einem Anhänger aus dem Kreise um Lenard und Stark, einem gewissen Ministerialdirektor Mentzel*, zu übergeben. Dieser ehrgeizige und von starken Ressentiments beherrschte Nazi hatte schon des öfteren in sehr unangenehmer Weise gegen Heisenberg und die theoretische Physik agiert, und er galt als skrupellos und gefährlich. Er wäre höchstwahrscheinlich ein noch größeres Unglück gewesen für das Institut, das »Uran-Projekt« und die Physiker, die damit befaßt waren, als ein rein politischer Parteifunktionär, der nur ver-

---

* Es ist mir nicht gelungen, mit Sicherheit herauszufinden, ob der Verfasser des Artikels im ›Völkischen Beobachter‹ (siehe oben S. 59), der aber dort als Menzel notiert ist, identisch ist – wie ich annahm – mit dem späteren Ministerialdirektor, von dem mir aber jetzt versichert wurde, er schreibe sich mit tz, also Mentzel.

schwommene Vorstellungen von den Möglichkeiten nuklearer Entwicklung hatte. Es war Wirtz, Weizsäcker und ihren Freunden klar: eine solche Entwicklung würde bedeuten, daß den Leuten im Institut jede Freiheit eigener Entscheidung und offenen Austausches genommen würde. Die Folgen einer solchen Besetzung gerade an einer so gefährdeten und zentralen Stelle waren gar nicht abzusehen, und die Gefahr, daß das Atombomben-Projekt ihren Entscheidungen entglitte und wider alle Vernunft neu aufgegriffen und mit Gewalt vorangetrieben würde, rückte damit in den Bereich des Möglichen. Es wäre Herrn Mentzel sicherlich nicht schwer gefallen, Hitler davon zu überzeugen, daß er in der »Uranbombe« seine so viel besprochene und zitierte Wunderwaffe finden könnte. Damit aber würden sie alle, die an der Entwicklung des Reaktors mitarbeiteten, in tödliche Konflikte und Gefahren kommen. Das mußte verhindert werden.

Deshalb beschloß Wirtz im Einvernehmen mit seinen Freunden, einer solchen Entwicklung in einer vorsichtig und langfristig angelegten Aktion vorzubeugen. Man plante, Heisenberg durch eine sich immer stärker erweiternde Beratungs- und Vortragstätigkeit am Institut, an der Universität und der Technischen Hochschule mehr und mehr nach Berlin zu ziehen und auf diese Weise langsam in die Leitung des Instituts einzuschleusen. Man war sich am Institut darüber einig, daß Heisenberg dafür der richtige Mann sei. Er war nicht nur als Person zuverlässig und fair – so wurde argumentiert –, sondern hatte sich bereits derart in die technischen Fragen des Reaktorbaues eingearbeitet, daß er durchaus als Experte auf diesem Gebiete gelten konnte, obwohl er doch Theoretiker war und sein Hauptinteresse stets der reinen Grundlagenforschung und deren philosophischen Konsequenzen gegolten hatte. In einem späteren Bericht von den Fachleuten Wirtz und Häfele aus dem Jahre

1961 wird ihm dies noch einmal nachdrücklich bestätigt: »... es war ihm scheinbar mühelos möglich, sich auf einem Nebengebiet wie der Reaktortechnik rasch und umfassend einzuarbeiten und für viele Jahre zum führenden Kopf für die ganze Entwicklung auf diesem Gebiet in Deutschland zu werden«.

Dieses ganze Konzept war natürlich nicht von heute auf morgen entstanden; und es war auch nicht so, daß einer den ganzen Plan klar im Kopf gehabt hätte. Er bildete sich langsam heraus und hatte so viel Überzeugungskraft, daß auch Dr. Telschow, der damalige Verwaltungsdirektor der Kaiser-Wilhelm-Gesellschaft, ihn aufnahm. Es begann damit, daß Heisenberg gebeten wurde, Vorlesungen an der Berliner Universität zu halten. Überall herrschte Mangel an qualifizierten Hochschullehrern, und der Hunger der Menschen nach geistiger Nahrung, die nicht von Propagandalügen verfälscht war, war überall groß, so daß Heisenberg nicht zögerte, dieses Angebot trotz der Doppelbelastung anzunehmen. Gleichzeitig zog Wirtz ihn als Berater in das Berliner Kaiser-Wilhelm-Institut hinein, wo er sich mehr und mehr nicht nur in die wissenschaftlichen Probleme einarbeitete, sondern vor allem auch mit der ganzen politischen Problematik der Situation konfrontiert wurde.

Ich selber war von dieser Doppelbelastung meines Mannes alles andere als erfreut. Nicht nur, daß dieser Zustand über Heisenbergs Kräfte ging und sein Körper bereits mit schweren herpesartigen Entzündungen zu rebellieren begann – die ersten verheerenden Großangriffe auf Hamburg hatten uns deutlich werden lassen, was wir in den Städten zu erwarten hatten. Und daß Berlin ein Hauptziel solcher Angriffe werden würde, darüber bestand keinerlei Zweifel. Aber Trennung und Gefahr waren das allgemeine Schicksal – es war schließlich Krieg; auch wir konnten uns dem nicht entziehen.

Immer deutlicher wurde es nun auch Heisenberg, daß alles darauf zielte, daß er die Leitung des Berliner Instituts übernehmen müsse. Einstweilen sträubte er sich noch dagegen und schob eine Entscheidung in dieser Frage hinaus, da ja offiziell Debye noch der rechtmäßige Direktor des Instituts war. Selbst als er schließlich von der Leitung der Kaiser-Wilhelm Gesellschaft ersucht wurde, das Berliner Institut als leitender Direktor zu übernehmen, fiel ihm die Entscheidung darüber noch schwer. Er fürchtete die Last der Verantwortung, die er mit der offiziellen Übernahme des Instituts zu tragen hätte, und, sehr bedrückt, versuchte er, in Gesprächen mit mir Klarheit zu gewinnen, was das Richtige zu tun sei. Würde er durch diese hohe Stellung nicht wieder in die Schußlinie der Partei geraten? Und wäre das nicht jetzt noch weit gefährlicher als früher? Auch quälte ihn die Vorstellung, womöglich noch größere Konzessionen an die Nazis machen zu müssen und damit in noch schwerere Gewissenskonflikte zu geraten. Schließlich war es eben auch eine politische Stellung; das soll heißen, er konnte in dieser Stellung sich nicht einfach den politischen Problemen, die auf ihn zukamen, entziehen; er mußte Stellung nehmen – was würde das für Konsequenzen haben? Und dann war da noch die Familie. Die Übernahme des Instituts würde bedeuten, daß er nun noch mehr als bisher von seiner Familie getrennt leben oder sie nach Berlin mitnehmen müßte – aber konnte er dies verantworten angesichts der von Monat zu Monat sich steigernden Luftangriffe auf Berlin? Dies alles waren Argumente, die ihn sehr bedrückten. Andererseits – gab es denn überhaupt noch eine freie Entscheidung? Eines erkannte er deutlich: Wenn er den Weg weitergehen wollte, den er eingeschlagen hatte, wenn er auch weiterhin junge, vielversprechende, begabte Leute durch den Krieg und durch die Katastrophe retten und darüber hinaus »Inseln des Bestandes und der Freiheit« bilden wollte, dann konnte er diese Stellung nicht ausschlagen und in dieser schwierigsten Phase des Krieges und der Nazizeit kleinmütig aufgeben. Es wurde ihm klar, daß es jetzt kein Zurück mehr für ihn geben konnte. So nahm er also den Ruf an und wurde am 1. Juli 1942 zum Direktor am Institut für Physik ernannt. Das einzige, was Heisenberg dabei Genugtuung verschaffte, war die Tatsache, daß diese Berufung nach Berlin als ein klarer Sieg der modernen Physik über die »Deutsche Physik« gewertet werden mußte, denn wenn er diese Schlüsselstellung am Kaiser-Wilhelm-Institut, der höchsten physikalischen wissenschaftlichen Stelle, die in Deutschland zu vergeben war, innehatte, hatte das Phantom der »Deutschen Physik« ausgespielt – ich weiß, wieviel ihm dies bedeutete.

An Atombomben wurde auch jetzt nicht gearbeitet, ebensowenig wie vorher. Speer gab ja dann bereits im Herbst 1942 das ganze Bombenprojekt auf. Und wenn die Regierung immer wieder Gerüchte über die »Wunderwaffe« ausstreute, mit der man schließlich doch noch den Krieg gewinnen wollte, so kann man damit niemals die Atombombe gemeint haben, von der man in den zuständigen Kreisen genau wußte, daß sie nicht gebaut wurde. Höchstwahrscheinlich entbehrte das Gerede von der Wunderwaffe überhaupt jedes realen Hintergrundes und war nur zur Beruhigung und zum besseren Durchhalten des Volkes ausgestreut worden. Und der so oft von den Amerikanern belächelte oder sogar verspottete geringe Aufwand für das Reaktor-Projekt, die bewußte Bescheidung, die dann im Keller von Haigerloch so sinnfällig ablesbar war, zeigt, daß von den Wissenschaftlern in Deutschland wirklich keinerlei Anstrengungen gemacht worden sind, um doch noch an das Ziel Wunderwaffe = Atombombe zu gelangen. Das Ziel – das sei hier nochmal in aller Deutlichkeit gesagt – blieb auch fernerhin, die Grundlagen des Reaktorbaues zu entwickeln für die Zeit nach dem Kriege, wenn es galt, die Wissenschaft in Deutschland wieder aufzubauen und den Anschluß an die internationale Wissenschaft und Technologie wiederzugewinnen. Obwohl dieses letzte Ziel erst nach jahrelangen Mühen erlangt werden konnte, so waren doch die Arbeiten am Reaktor nicht umsonst. Wenn es auch nicht gelang, den Reaktor in Haigerloch, als die Amerikaner einmarschierten und ihn »eroberten«, betriebsfertig zu haben, so zeigte es sich später, als nach dem Kriege in Karlsruhe die Arbeiten am Reaktor für friedliche Kernenergie wieder aufgenommen wurden – jetzt in größerem Maßstab –, daß man an die Entwicklung, die im Kriege geleistet war, ohne weiteres wieder anknüpfen konnte, wie dies ja auch von Wirtz und Häfele bestätigt worden ist.

In Berlin aber nahmen die Schwierigkeiten, wissenschaftlich arbeiten zu können, täglich zu. Jede Nacht gab es Angriffe, auch am Tage heulten die Sirenen, und jeder lief in die Keller, um dort vor den Bomben Schutz zu finden. Die Zerstörungen fraßen sich immer mehr auch in die Außenbezirke der Stadt hinein. Das so friedliche, in schöne Gärten eingebettete Dahlem, wo die Kaiser-Wilhelm-Institute lagen, wurde nicht verschont, und oft mußte die ganze Institutsbelegschaft, von der sich auch Heisenberg nicht ausschloß, nach der Entwarnung Hand anlegen beim Löschen von Bränden in den benachbarten Instituten, bei Aufräumungsarbeiten oder dringlichen Reparaturen der Luftdruckschäden oder gar beim Suchen und Bergen von Verschütteten.

Heisenbergs Institut war bisher noch von schweren Schäden verschont geblieben. Die Mitglieder behaupteten einstimmig, das sei das Werk des Heiligen Florian, von dem schon vor Jahren Debye im Flur des Instituts eine kleine Statue hatte aufstellen lassen. Der heilige Florian ist der Heilige, der vor Feuersbrunst schützt; und jetzt, da sich auch in Dahlem die Angriffe mehrten, wurde nie versäumt, seine kleine Statue mit frischen Blumen zu schmücken. »Es soll ja auch helfen, wenn man nicht dran glaubt« – mit diesem so berühmten Ausspruch von Niels Bohr legten auch die größten Skeptiker ihre Blumen dem Heiligen zu Füßen. – Trotzdem konnte unter solchen Zuständen die Arbeit im Institut nur geringe Fortschritte machen.

In dieser Situation – im Sommer 1943 – erschien ein Erlaß der Regierung, daß alle wichtigen Institutionen aus der Stadt heraus in weniger gefährdete Gebiete verlagert werden sollten. So ergab sich auch für das Kaiser-Wilhelm-Institut die Möglichkeit, seine Arbeiten aus Berlin auszulagern. Wirtz und seine Leute erhielten den Auftrag, einen geeigneten Platz für das Institut ausfindig zu machen, und Heisenberg und er einigten sich schnell auf gewisse Bedingungen, denen der neue Ort genügen sollte. Der vordringlichste Gesichtspunkt sollte die Sicherheit und die Überlebenschance für die Menschen sein. Dazu gehörte, so wurde argumentiert, daß der neue Ort weit genug westlich gelegen sei, um beim Einmarsch der alliierten Truppen nicht in den russischen Machtbereich zu fallen. Andererseits aber durfte er auch nicht zu nahe an den westlichen Industriezentren liegen, da erwartet wurde, daß gerade diese Zentren besonders heftigen und konzentrierten Angriffen ausgesetzt sein würden. Ferner sollte dieser neue Ort nicht nur befriedigende Arbeitsmöglichkeiten besitzen, sondern auch genügenden und guten Wohnraum für die Familien der Institutsangehörigen bieten; und vor allem sollte er in einem guten landwirtschaftlichen Umland liegen, damit die Versorgung aller dieser Menschen sichergestellt sei, denn wir rechneten fest damit, daß die Versorgung der Bevölkerung in Bälde zusammenbrechen müßte. Das alles waren viele und schwierige Bedingungen, aber die noch ganz unversehrten schwäbischen Städtchen mit ihren zum Teil stillgelegten kleinen Industriebetrieben zeigten sich als außerordentlich geeignet.

Nach sorgfältigen Recherchen entschied sich die Institutsleitung für die kleine Stadt Hechingen. Die nahe gelegenen Felsenkeller von Haigerloch, in denen der Reaktor aufgestellt werden sollte, boten einen geradezu idealen Schutz gegen jegliche Angriffe aus der Luft. Natürlich kostete die Übersiedlung mit dem größeren Teil des Instituts und all den dazugehörigen Familien wieder Zeit und Kraft – jedermann wurde dabei gebraucht. Es scheint heute fast unglaublich, daß alles ohne ernstliche Störung gelang. Und schließlich bewährte sich das neue Domizil in dieser schwäbischen Idylle, und die Arbeiten am Reaktor konnten wieder aufgenommen werden.

Heisenberg bewohnte in Hechingen ein schönes, großes Zimmer bei einer freundlichen und hilfsbereiten Familie. Wir dagegen, die Kinder und ich, hatten an dem schwäbischen Refugium keinen Anteil. Wir waren zur gleichen Zeit ganz nach Urfeld umgezogen, in das Haus, das wir uns 1939 bereits für diesen Zweck gekauft hatten. Heisenberg meinte, dieser abgelegene Fleck im Schutz der Berge böte seiner Familie noch größere Sicherheit als die Nähe des Instituts, bei dem man doch womöglich mit schweren Luftangriffen zu rechnen hätte. Ob dies eine glückliche Entscheidung war, das war zwischen uns immer ein leichter Streitfall. Wir waren in Urfeld von aller Hilfe abgeschnitten, die man sich in Hechingen selbstverständlich gegenseitig leistete, der Boden war steinig und unfruchtbar, und was wuchs, wurde mit Sicherheit von den Hirschen und Rehen abgefressen. Dazu waren die Bauern gegen uns Zugereiste von unerschütterlichem, mißtrauischem Geiz. In der Tat hatten wir ernstliche Schwierigkeiten und führten einen verbissenen Kampf gegen Hunger und Krankheit. Als diese Situation offenbar wurde, war es für einen Umzug nach Hechingen zu spät, auch war zu diesem Zeitpunkt an eine Wohnung in Hechingen gar nicht mehr zu denken. Um so mehr fühlte sich Heisenberg verpflichtet, für uns zu sorgen, wo er nur konnte. Seine Briefe aus dieser Zeit zeigen, wie sehr dieses Problem alle seine Gedanken zu füllen schien. Da er oft noch in Berlin zu tun hatte, nahm er diese Gelegenheiten wahr, um in dem schönen Obstgarten des Instituts, den noch Debye hatte anlegen lassen, große Mengen von Obst zu pflücken. Dann kochte er es eigenhändig ein oder verpackte es in großen Kisten, um es uns in unserem ›Adlernest‹, wie ich es gerne nannte, in Urfeld zukommen zu lassen. Dort aber kam es dann meist gar nicht oder erst nach Wochen an, verfault oder zerschlagen. Er versuchte, uns mit Kartoffeln und Brennholz zu versorgen und setzte alles in Bewegung, um Material für die Reparaturen zu erhalten, die am Dach unseres Häuschens dringend geworden waren. All dies waren mühsame und aufwendige Aktionen.

Für Heisenbergs Arbeit aber gab es in Wahrheit zu dieser Zeit weit größere Hindernisse als die Sorgen um seine Familie. Die Zerstörung der Schweren-Wasser-Fabrik in Norwegen durch den kühnen Einsatz eines englischen Stoßtrupps verzögerte die Arbeiten am Reaktor erheblich und setzte der Lieferung von Schwerem Wasser, das für den Reaktorbau so sehr benötigt wurde, empfindliche Grenzen. Es gelang Heisenberg und seiner Arbeitsgruppe nur mit großen Mühen, mit dieser neuen Situation fertigzuwerden. Spektakuläre Erfolge strebte er aber sowieso nicht mehr an. Man arbeitete in Hechingen allgemein mit ruhiger Gelassenheit. Natürlich hätte er es gerne gesehen, daß der Reaktor noch bis zum Ende des Krieges zum Funktionieren gebracht worden wäre, und es kränkte ihn immer ein wenig, daß er auf Grund falscher Messungen eines anderen Instituts, auf die er sich verlassen hatte, den einfacheren Weg, statt des Schweren Wassers Kohle zu nehmen, nicht beschritten hatte. Aber es gab wichtigere Dinge; die menschlichen Probleme hatten jetzt den Vorrang.

Schon in Leipzig hatte Heisenberg ja versucht, so gut wie möglich für seine gefährdeten Mitarbeiter zu sorgen und für sie Stellungen im Ausland zu finden. Damals nahm er auch Dr. Gora aus Warschau auf, der beim Einmarsch der Deutschen geflohen war, und half ihm weiter. In Berlin waren es vor allem die beiden Professoren Gans und Rausch von Traubenberg, für die er sich einsetzte und die er rettete. Auch für den Franzosen Cavaillés und den Belgier Cosyns setzte er sich ein. In seinem Nachlaß fand ich eine Notiz über diese Fälle, die damit schloß: »Cavaillés ist leider, bevor meine Eingabe beim Auswärtigen Amt Erfolg haben konnte, erschossen worden; wenigstens wurde mir das später mitgeteilt. Dagegen soll Cosyns gut durchgekommen sein, obwohl es auch für ihn sehr schlecht stand.« Er rettete auch Dr. Tetzler, den Schwager seines befreundeten Kollegen Dirac aus Cambridge. Dr. Tetzler, ein jüdischer Kaufmann aus Rumänien, wurde dadurch, zusammen mit seiner Frau, vor den deutschen Vernichtungslagern bewahrt. Heisenberg leistete Hilfe, wo es möglich war; er tat es selbstverständlich und ohne davon Aufhebens zu machen – nicht einmal ich erfuhr davon.

In Hechingen war das Institut ein Refugium für viele geworden. Auch Max von Laue hatte in Heisenbergs Institut Schutz und Sicherheit gefunden – Heisenbergs Exponiertheit war in gewissem Sinne wie ein Schild, der sie alle schützte. Und in dem Maße, wie der Krieg seinem Ende zuging und die Lebensschwierigkeiten wuchsen, traten die Probleme der einzelnen in den Vordergrund. Die Menschen des Instituts wuchsen in dieser Zeit eng zusammen. Man stand sich bei in persönlicher Not, Krankheit und großen seelischen Belastungen, denen fast jeder ausgesetzt war. Ein besonderes Juwel war die Werkstatt des Instituts, in der ausgezeichnete Leute arbeiteten, die auch überall in den Familien halfen, Notstände zu beseitigen. Sie bildeten dann später in Göttingen den Grundstock für die Werkstatt des neuen Instituts und halfen beim Neubeginn mit unersetzlichem Engagement. Auch die Beziehungen zu der Bevölkerung des Städtchens wurden gepflegt – es gehörte in gewissem Sinne zum Überleben dazu, mit ihr auf gutem Fuße zu stehen. Aber bei den freundlichen Menschen dort machte das keine Schwierigkeiten. Überzeugte Nazis gab es nur wenige, denen man leicht aus dem Wege gehen konnte. Einmal gab Heisenberg sogar mit einigen seiner Mitarbeiter ein kleines Konzert für das ganze Städtchen, was in den bedrükkenden Tagen dieser düsteren Kriegszeit mit großer Dankbarkeit und Freude aufgenommen wurde. Auf diese Weise gelang es in gewissem Sinne wirklich, »Inseln des Bestandes, der Freiheit und des Vertrauens« zu bilden, wie es sich Heisenberg vorgenommen hatte, und es gelang, unter den Mitgliedern des Instituts und in seinem Umkreis eine Atmosphäre der Menschlichkeit und der Zuversicht zum Überleben zu schaffen, in der keine Panik um sich griff wie an so vielen anderen Stellen, in der die Menschen entweder ihr Leben unnütz aufs Spiel setzten oder sich das Leben nahmen in panischer Angst vor dem, was auf sie zukam.

Eine weitere Aufgabe, der sich Heisenberg verpflichtet fühlte und die ihm wichtig erschien, war, so oft wie möglich wissenschaftliche Vorträge zu halten, an einheimischen sowohl wie an ausländischen Universitäten, besonders auch an den Universitäten der besetzten Gebiete, um Kontakte mit den in Bedrängnis lebenden Kollegen nicht abreißen zu lassen, aber vor allem auch, um zu demonstrieren, daß es noch ein anderes, besseres Deutschland gab als das Nazi-Deutschland, das in so erschreckendem Maße die Oberhand gewonnen hatte.

Aus diesem Grunde nahm er im November 1942 eine Einladung in die Schweiz an, die von seinem befreundeten Kollegen Scherrer zusammen mit der Studentenschaft ar-

rangiert worden war. Zu seinem Erstaunen bekam er sogar
die Ausreisegenehmigung von den deutschen Behörden. Es
war vereinbart worden, Heisenberg solle mehrere wissenschaftliche Vorträge in Zürich, Bern und Basel in großem
Kreise halten, und er wurde von verschiedenen Kollegen
freundschaftlich eingeladen, unter anderen in das Haus von
Scherrer zu einem kleinen Abendessen. Heisenberg nahm
mit Freuden an. Er erbat sich allerdings, daß bei dem Abendessen jegliches politische Gespräch vermieden würde und
daß nur zuverlässige Institutsmitglieder geladen würden, so
daß er nicht jedes Wort auf die Goldwaage legen müßte.
Scherrer sagte alles zu, und der Abend verlief sehr gut und
ohne Störung. Nachts brachte ihn ein junger Mann ins Hotel zurück, der ihm schon den ganzen Abend hindurch auf-
gefallen war und ihm ausnehmend gut gefiel. Auf dem Wege sprachen sie locker und lebhaft miteinander. Er erzählte
mir von dieser Begegnung. Jahre später bekamen wir das
Buch von Moe Berg zugeschickt mit dem Titel: ›The Spy‹.
Als Heisenberg das Buch durchblätterte, erkannte er in dem
Gesicht des Autors seinen jungen Schweizer wieder, der ihn
ins Hotel gebracht hatte, der so aufmerksam in Heisenbergs
Vortrag in der ersten Reihe gesessen hatte und bei Scherrer
immer mit höchst intelligenten und interessierten Fragen in
das Gespräch eingegriffen hatte. Damals wußte er nicht, daß
dieser junge Mann eine geladene Pistole in der Tasche trug
und den Auftrag vom CIA hatte, Heisenberg sofort zu er-
schießen, sobald er nur das geringste Anzeichen dafür erkennen könnte, daß Heisenberg an Atombomben arbeitete.
Moe Berg schreibt dazu, er habe trotz psychologischer
Schulung und Erfahrung auch nicht das kleinste Augenzuk-
ken bemerkt, wenn er ihm verfängliche Fragen gestellt hatte, nichts, was auch nur den geringsten Anlaß gegeben hätte, seinen Auftrag auszuführen. Die Reise hatte aber noch
ein anderes Nachspiel, das zum Glück auch gut ausging. An

Heisenbergs vorgesetzte Behörde kam ein scharfer Verweis durch die Gestapo, Heisenberg habe in der Schweiz defätistische Äußerungen getan, es sei der Sachverhalt nachzuprüfen. Es war das Glück von Heisenberg, daß diese Beschwerde bei Professor Gerlach landete, mit dem er gut befreundet war. Gerlach setzte eine höchst strenge und empörte Miene auf und versicherte, er werde den Fall scharf untersuchen und Heisenberg zur Rechenschaft ziehen – was dann mit einem freundschaftlichen Gespräch endete.

Diese »Räuberpistole« tangierte unser Leben natürlich nur ganz am Rande. Ich habe sie erzählt, einmal, weil auch sie ein kleiner Mosaikstein ist in dem seltsamen und vielgestaltigen Bild, das ich hier darzulegen unternommen habe, zum anderen aber auch, weil sie zeigt, wie gefährlich sich immer wieder die Lage um Heisenberg herum zusammenbraute. Er war eine Natur, die stets ein erstaunliches Glück hatte, was seine Person betraf. Aber: »Glück ist eine Eigenschaft« – das ist ein altes Wort, dem wohl eine ganze Portion Wahrheit anhaftet; und dieses »Glück« war vielleicht wirklich in Heisenbergs Charakter angelegt, denn er vereinigte viele Gegensätze in seinem Wesen, unter anderen: vorsichtige Klugheit mit naiver Unbefangenheit, eine gewisse »Bauernschläue« und eine einfache, geradlinige moralische Überzeugungskraft, das spontane Erfassen von Menschen und Situationen und unbeirrbare Durchhaltekraft. Und der Angst, die dann einsetzte, wenn er Gefahr lief, seine Autonomie zu verlieren und nicht mehr über sich selbst bestimmen zu können, setzte er einen aus der Tiefe kommenden, nicht zu brechenden Widerstand entgegen, um diesem Zustand zu entkommen.

Vielleicht war auch dieser letzte Zug von Heisenberg daran beteiligt, daß er es stets ablehnte, sich an der Verschwörung gegen Hitler aktiv zu beteiligen, die dann am 20. Juli 1944 in dem Attentat gipfelte und scheiterte. Es war nicht

Heisenbergs Art, etwas »mitzumachen«, auf dessen Ablauf er keinen entscheidenden Einfluß hatte. Er traute nur sich selbst – diesem Zuge seines Wesens waren wir schon einmal begegnet. Obwohl er dieser Verschwörung mit Skepsis gegenüberstand, wußte er von ihr und war mit mehreren ihrer Mitglieder nahe befreundet, so daß dieser Teil der deutschen Tragödie auch in unser Leben tief hineinreichte. Darum soll hier noch kurz aufgezeichnet werden, von welcher Art Heisenbergs Verbindung war, die er mit den Männern des 20. Juli hatte.

Ich glaube, es war im Jahr 1943, als Heisenberg in seinem Institut von einem Freunde aus der Jugendbewegung Besuch bekam. Es war Reichwein. Er hatte schon früh zu dem politischen Flügel der Jugendbewegung gehört, der der sozialistischen und pädagogischen Bewegung nahestand. Reichwein fragte Heisenberg ohne weitere Umschweife, ob er bereit sei, an einer Verschwörung gegen Hitler mitzuwirken. Heisenberg war von Reichweins unbekümmerter Unvorsichtigkeit – er sprach laut und ohne irgendwelche Vorsicht – entsetzt und sagte sich, wenn man auf diese Weise den Feind derart unterschätze, könne aus dem Ganzen nichts werden. Er lehnte eine Teilnahme ab. Dann warnte er Reichwein nachdrücklich und mahnte ihn zu größter Verschwiegenheit und Vorsicht, wenn er ans Ziel kommen wolle. Aber es war schon zu spät. Zwei oder drei Tage später wurde Reichwein verhaftet und später wegen Hochverrats hingerichtet. Als Wochen später Heisenberg mir davon erzählte, war er immer noch davon tief erregt und aufgewühlt.

Heisenberg war kein Revolutionär – und überdies hielt er den Zeitpunkt für eine revolutionäre Aktion für viel zu spät. Er hatte – wie schon erwähnt – vor dem Kriege große Hoffnungen auf das Militär gesetzt, denn er war der Ansicht, daß ein Machtwechsel nur von demjenigen erzwungen werden könne, der Zugang zu den Machtmitteln besaß – und das war das Militär. Aber Hitler hatte das sehr geschickt zu vereiteln gewußt, indem er das Militär stärkte und es gleichzeitig mit Nazi-Funktionären und ihm ergebenen Offizieren durchsetzte. Im Ausbruch des Krieges sah Heisenberg noch einmal eine Chance für einen militärischen Widerstand; doch der Siegeszug des deutschen Heeres war so überwältigend, daß nur noch wenige die innere Freiheit und Unabhängigkeit bewahrten, noch ernsthaft an Umsturz zu denken oder gar ihn zu planen. So wurde auch diese Chance vertan – ein Großteil des deutschen Militärs hatte sich durch die Machtstellung, die ihm jetzt zukam, und durch die eigenen Erfolge kaufen und blenden lassen. Heisenberg war damals tief enttäuscht und erbittert.

In Berlin – wohin er, wie schon erwähnt, immer wieder aus dem friedlicheren Hechingen zurückkehren mußte, weil ein Teil des Instituts noch dort verblieben war – kam er nochmal in engere Berührung mit dem Kreis derjenigen, die eine Verschwörung gegen Hitler planten. Heisenberg war aufgefordert worden, an der Mittwochgesellschaft teilzunehmen, einem seit Jahrzehnten etablierten Gesprächskreis hervorragender Männer aus allen Sparten des Geisteslebens, der hohen Verwaltung, des Militärs. Sie tagte umschichtig in dem Hause eines der Mitglieder; der Hausherr hielt dann einen Vortrag über sein eigenes Fachgebiet, dem sich ein Diskussions-Gespräch anschloß. Danach folgte ein mehr geselliger Teil. Es gehörten damals dazu der Botschafter von Hassel, der frühere preußische Finanzminister Popitz, Generaloberst Beck, der Kulturphilosoph Spranger, Sauerbruch, Diels und noch andere, deren Namen ich nicht mehr weiß. Heisenberg benutzte die Gelegenheit gerne, an diesem Treffen teilzunehmen. Es freute und interessierte ihn, diese so verschiedenen und interessanten Persönlichkeiten kennenzulernen und mit ihnen zu sprechen. Es machte ihm Freude, aus ihren Erfahrungen auch für sich selbst zu lernen.

Es muß im Winter 43/44 gewesen sein, daß Popitz, der in der Nähe meiner Eltern wohnte, ihn bat, zu ihm zu kommen. Bei diesem Besuch erfuhr Heisenberg, daß ein gewaltsamer Umsturz geplant sei und man sich überlege, wie Deutschland neu und besser zu ordnen sei, wenn das Nazi-Regime beseitigt und der Krieg durch Kapitulation beendet worden sei. Da Heisenberg selbst ständig über solche Fragen nachdachte, fand ein außerordentlich fruchtbares und intensives Gespräch statt, das eine zwar kurze, aber sehr vertrauensvolle Freundschaft schuf.

Soviel ich weiß, ist Heisenberg in der Mittwochgesellschaft nie direkt aufgefordert worden, sich an den verschwörerischen Aktivitäten, in die ein großer Teil der Mitglieder verwickelt war, zu beteiligen. Heisenberg wäre auch wohl nicht dazu bereit gewesen, denn es war ihm in erster Linie darum zu tun, sich für den Wiederaufbau nach dem Kriege zur Verfügung zu stellen, und er gab der Revolution zu diesem Zeitpunkt nur noch wenig Chancen. Er war der Meinung, daß, nachdem die Dinge so weit gediehen waren, der Krieg auch bis zu seinem schrecklichen Ende durchlitten werden müßte. Ein revolutionärer Umsturz hätte die Katastrophe nun auch nicht mehr abwenden können; er hätte womöglich die Verwirrung über Recht und Unrecht noch hoffnungsloser um sich greifen lassen, so daß auch das »Nachher« unter keinen klaren Voraussetzungen hätte begonnen werden können.

Am 18. Juli 1944 versammelte sich die Mittwochgesellschaft nochmal bei Heisenberg im Harnack-Haus in Dahlem. Anschließend wollte Heisenberg zurück nach Hechingen in sein Institut fahren, vorher aber das Wochenende in Urfeld bei seiner Familie verbringen. Am 20. Juli erfuhren wir im Radio von dem Attentat auf Hitler, von dem Scheitern des Umsturzes und dem Tod und der Verhaftung aller der führenden Personen. Eine Welle von Verfolgungen, Verhaftungen, Hinrichtungen, die sich über Monate hinzog und der die aufrichtigsten und besten Männer unseres Volkes zum Opfer fielen, war die Folge. Popitz, Beck, von Hassel und viele andere unserer Freunde fanden den Tod. Auch Spranger, der selbst nicht an der Verschwörung teilgenommen hatte, sondern nur, wie Heisenberg, »Kontaktperson« war, wurde verhaftet. Heisenberg aber blieb verschont. – So geschah es, daß wir wirklich den Krieg und das Nazireich überstanden, und die amerikanischen Truppen erschienen uns wie Befreier, denn sie brachten das Ende dieser schrecklichen Gewaltherrschaft und des Krieges.

VII. Kapitel

Gefangenschaft und der Abwurf der Bombe

Am 22. April 1945 marschierten die französischen Truppen in Hechingen ein. Es gab keinen Widerstand mehr, so wie es auch Heisenberg und seine Freunde gehofft und erwartet hatten. Wenig später folgte der französischen Truppe eine amerikanische Sondereinheit, genannt »Alsos-Commission«*, die den Auftrag hatte, alles, was mit nuklearer Forschung in Deutschland zu tun hatte, ausfindig zu machen, zu beschlagnahmen und gegebenenfalls abzutransportieren. Diese Sonderkommission unterstand direkt dem amerikanischen »Manhattan-Project«, der Organisation zur Entwicklung der Atombombe, deren militärischer Leiter General Groves war, ein Organisator größten Stils. Der Sondertruppe »Alsos« war ein wissenschaftlicher Leiter beigegeben, Professor Samuel Goudsmit, ein Physiker, der seit langem Heisenberg wohlbekannt war und noch 1939 mit ihm in Michigan wissenschaftliche Kontakte gehabt hatte. Es war der Alsos-Commission gelungen, herauszufinden, daß in Hechingen das Zentrum der deutschen »Atombomben-Produktion« und in den Felsenkellern von Haigerloch der so sehr gesuchte Reaktor der Deutschen zu finden sei.

Von alledem wußte Heisenberg natürlich nichts. Er hatte mit dem engsten Stabe seiner Mitarbeiter vereinbart, daß er,

---

* Nach Armin Hermann ist der Name »Alsos« eine griechische Übersetzung von »grove« (im Deutschen: Hain). »Alsos-Commission« bedeutet einfach: die Kommission des General Groves.

wenn Hechingen kampflos und ohne Komplikationen eingenommen sei, die Stadt in Richtung Osten mit dem Fahrrad verlassen wolle, um seiner Familie in Urfeld in den Wirren des Kriegsendes beizustehen; er fühlte sich dazu verpflichtet – schließlich hatte er ihr zugemutet, in dem Hexenkessel Deutschland zu bleiben, obwohl er es ihr hätte erspa-
ren können. Mit seinen Mitarbeitern hatte er das noch restli-
che Uran und das Schwere Wasser, das sich noch bei ihnen
befand, auf freiem Felde vergraben, in der Hoffnung, bei
der Wiederaufnahme wissenschaftlicher Arbeit später einen
kleinen Fundus zu haben, mit dem man an dem Reaktor
weiterarbeiten könne. Daß solche Hoffnungen trügerisch
waren, konnte man damals vor dem Abwurf der Bombe
noch nicht übersehen. Heisenberg hatte deshalb mit seinen
Leuten ausgemacht, das Versteck nur im Notfall preiszuge-
ben. So hoffte man, daß alles wohlgeregelt sei und es aller
Voraussicht nach keine Konfliktsituationen geben würde,
bei denen Heisenbergs Gegenwart unbedingt erforderlich
gewesen wäre.

Diese Rechnung erwies sich nicht als falsch. Im wesentlichen verlief die Besetzung des Instituts durch die Alsos-
Commission reibungslos, d. h. ohne dramatische Ereignisse. Daß sich zu diesem Zeitpunkt der Reaktor in Haigerloch
bereits in den Händen der Amerikaner befand und abgebaut
wurde, war den Hechinger Physikern nicht bekannt. Man
wußte damals noch nicht, mit welch großem Aufwand die
Alsos-Commission arbeitete, und daß sie selbst und ihr kleiner Reaktor eine so hochbrisante Kriegsbeute für die Amerikaner bedeuteten. Auf die Frage, wo sich Heisenberg befin-
de, wurde freimütig Antwort gegeben, er sei auf dem Wege
nach Urfeld zu seiner Familie. Und als den Physikern in Hechingen versprochen wurde, die Arbeiten im Institut könnten ungestört weitergehen, wenn sie das Uran und das
Schwere Wasser herausgäben, wurde auch das Versteck

preisgegeben. Colonel Calvert erzählte mir später, er hätte den Auftrag gehabt, bei Weigerung der Herausgabe mit der Bombardierung von Urfeld zu drohen und sie auch im Weigerungsfalle auszuführen. So weit kam es aber zum Glück nicht. Nach der Herausgabe des Urans und des schweren Wassers geschah aber etwas, was niemand erwartet hatte: Die Wissenschaftler, von denen man annahm, sie seien mit Kernspaltung und Reaktorbau befaßt, wurden verhaftet und mit unbekanntem Ziel abtransportiert. Aus dem Hechinger Institut waren es: von Laue, von Weizsäcker, Wirtz, Korsching und Bagge.

Während dies alles in Hechingen geschah, fuhr Heisenberg mit seinem Fahrrad gen Osten. Er war drei Tage und drei Nächte unterwegs, bis er schließlich wohlbehalten bei uns ankam. Meistens fuhr er nachts, um nicht den Tieffliegern offen ausgesetzt zu sein. Tags kam er sowieso nicht voran und verbrachte die meiste Zeit im Straßengraben, dicht an den Boden gepreßt. Sein Abenteuer mit dem SS-Mann, das ihm so leicht hätte das Leben kosten können und dem er nur entging, indem er ihn mit amerikanischen Zigaretten bestach, erzählte ich schon. Aber auch sonst war es wohl eine höchst abenteuerliche Fahrt. Immer wieder erzählte er davon. Alles war in Auflösung begriffen, er begegnete Truppen von marodierenden, fremdsprachigen, zerlumpten Gestalten, die aus irgendwelchen Gefangenenlagern oder aus Zwangsarbeit entlassen oder entlaufen waren und die nun plündernd durch das Land zogen; er sah Haufen von 14- und 15jährigen Jungen, die noch in letzter Minute eingezogen und verschleppt worden waren und jetzt weinend, hungernd und ratlos am Wegrand kampierten und nicht wußten, wohin sie sich wenden sollten; er traf Horden von Soldaten der verschiedensten Nationalitäten, die irgendwo hingingen, die einen nach Osten, die anderen nach Westen oder Norden, planlos, erschöpft und finster. Immer galt es, sich irgendwo zu verstecken und auszuweichen. Weilheim, die Kreisstadt, brannte, als Heisenberg dorthin kam in der Hoffnung, vielleicht doch noch irgendeinen Zug zu bekommen, der ihn ein Stückchen weiterbrachte, denn auch er war verhungert und erschöpft bis an den Rand seiner Kräfte. In dem halbzerstörten Bahnhof schlief er ein paar Stunden auf seinem Fahrrad, bevor es weitergehen konnte – und dann fuhr plötzlich doch noch irgendein Güterzug, mit dem er ein paar Kilometer weiterkommen konnte.

Und schließlich, plötzlich und unvermutet, sah ich ihn den Berg hinaufkommen, verdreckt, todmüde und glücklich. Ich will mich nicht in der Schilderung der letzten Kriegstage ergehen; aber an dem Abend, als die Nachricht durch das Radio kam, Hitler sei tot, gerieten wir alle in einen Taumel der Erleichterung. Nun konnte es nicht mehr lange dauern! Wir holten die letzte Weinflasche aus dem Keller, die wir eigentlich für die Taufe unserer Tochter aufgehoben hatten und tranken unter Tränen der Erleichterung und Befreiung. Keiner dachte daran, sich schlafen zu legen, die Hoffnung ließ wieder Zukunft vor unserem inneren Auge aufblühen.

Zwei oder drei Tage später erschienen fünf oder sechs schwerbewaffnete Soldaten auf unserer Terrasse. Ich war allein zu Hause. Heisenberg war unten in den Ort gegangen, um nach seiner Mutter zu schauen, die wir wegen Platzmangels nicht mehr in unserem Häuschen unterbringen konnten und die deshalb ein Zimmer unten am See bewohnte. Als ich die so schwer bewaffneten Soldaten kommen sah, war ich zutiefst erschrocken, denn seit Tagen trieb die SS in unserer Gegend ihr Unwesen, hängte Soldaten, die von einer Genesungskompanie entlassen worden waren, wegen »Fahnenflucht« an den Bäumen auf oder steckten Bauernhäuser in Brand, weil die Frauen in ihrer Angst die weiße Fahne herausgehängt hatten. Als ich merkte, daß es nicht die SS war, war ich sehr erleichtert. Die amerikanischen Soldaten erschienen dagegen wie Befreier aus einem grausigen Alptraum. Oberst Pash, ein aus Rußland gebürtiger Haudegen, der dies kleine Sonderkommando leitete, bedeutete mir, Heisenberg telefonisch heraufzubeordern, aber ohne ihm den Grund meines Anrufes zu sagen. Heisenberg, der bereits die amerikanischen Panzer in Urfeld hatte kommen sehen, war sofort im Bilde und kam unverzüglich herauf. Nun folgten lange Verhöre. Unten im Ort kam es zwischendurch einmal zu einer kleinen Schießerei, die den Amerikanern großen Schrecken einflößte, denn sie wußten nicht, daß es sich nur um eine Einzelaktion handelte, waren sie doch selbst nur ein kleines Häufchen. Nachts wurde unser Haus bewacht – wir hörten die Schritte der Soldaten um unser Häuschen herum, und am nächsten Tage wurde Heisenberg mit einer Eskorte von Panzern und Panzerspähwagen, die inzwischen eingetroffen waren, fortgebracht. Man sagte uns nicht, wohin er gebracht würde. Man sagte lediglich, in drei Wochen wäre er wieder zurück. Aus den drei Wochen wurden acht Monate – für uns bedeuteten diese Monate quälende Ungewißheit und harten Kampf ums Überleben.

In diesen acht Monaten erhielt ich drei kleine, knappe Nachrichten, aus denen hervorging, daß er lebte und daß es ihm nicht schlecht ginge. Wir wußten nicht, woher diese Nachrichten kamen. Da sie von einem amerikanischen Offizier überbracht wurden, nahm ich an, Heisenberg sei in Amerika. In Wirklichkeit aber war er zusammen mit den anderen Atomwissenschaftlern, die man in Hechingen verhaftet hatte, und denen man noch Hahn, Gerlach, Harteck aus Hamburg und Dr. Diebner zugesellt hatte, in Gefangenschaft in England. Selbst über die Motivation dieser Gefangennahme konnten wir nur rätseln und nichts darüber in Erfahrung bringen. Später sagte man uns, man habe die führenden Atomwissenschaftler in Gewahrsam nehmen wollen, damit sie nicht den Russen in die Hände fielen, die durch sie womöglich wichtige wissenschaftliche oder technische Informationen über den Bau von Reaktoren oder – und dies vor allem – von Atombomben erhalten könnten.

Heisenberg wurde zuerst nach Heidelberg gebracht. Heidelberg war eine der wenigen großen Städte, die nicht zerbombt waren und daher den Amerikanern die Möglichkeit bot, genügend Wohnungen und Verwaltungsraum requirieren zu können. Aus Heidelberg bekam ich noch einmal einen ausführlicheren Brief. Es war ihm nur erlaubt, mir zu schreiben, wie es ihm ginge, nur dies. Er schrieb in diesem Brief über den Frühling, der in Heidelberg bereits in vollem Glanze stünde, er schrieb von dem schönen Haus in dem er untergebracht sei, und daß er sich wieder einmal richtig hätte sattessen können. »... In meinen Gefühlen ist das Unglück der vergangenen Zeit und der Anblick der menschlichen Zerstörung gemischt mit dem intensiven Glück darüber, neu anfangen und wieder aufbauen zu können.« Und etwas später steht dann der Satz: »Hoffentlich gibt es das Schicksal, daß ich meiner Aufgabe gewachsen bin.«

In Heidelberg traf Heisenberg mit Goudsmit zusammen. Goudsmit, ursprünglich Holländer, jetzt Amerikaner, hatte auch ihn zu verhören, und es war seine Aufgabe herauszufinden, wieviele Kenntnisse die Deutschen von der Konstruktion einer Atombombe besäßen. Zur größten Überraschung der amerikanischen Wissenschaftler hatten sie bisher nichts gefunden als diesen kleinen Reaktor in Haigerloch und keine Spur von Atombomben; und sie begegneten Wissenschaftlern, die keineswegs versuchten, ihre Kenntnisse vor ihnen zu verbergen, sondern nach kurzer Zeit bereit waren, sie vor ihnen aufzudecken und mit ihnen darüber zu sprechen. Das erschien der amerikanischen Kommission ganz unglaublich. Hatte man nicht immer in der Vorstellung gelebt, daß die Deutschen die größten Anstrengungen unternommen hatten, um Atombomben zu entwickeln? Und hatten sie nicht die ganze Zeit in der Furcht gelebt, die Deutschen könnten ihnen womöglich in der Entwicklung von Atombomben voraus sein?

Aber für Heisenberg sah alles ganz anders aus. Noch an demselben Abend der Verhöre schrieb er an mich: »Die Unterredungen mit Goudsmit und Kemble waren so freundschaftlich, als seien die letzten 6 Jahre nicht gewesen, und mir selbst geht es innerlich und äußerlich so gut wie seit Jahren nicht mehr. Ich bin voll von Hoffnung und Unternehmungslust für die Zukunft. Natürlich wird es auch wieder Rückschläge geben, aber das darf einen nicht irremachen.«* Für ihn war es die Rückkehr in die freie Welt, zu der er sich zugehörig fühlte. So fragte er auch Goudsmit im Laufe der langen Gespräche, wie es in Amerika eigentlich mit der Atombombe stünde, ob an ihr gearbeitet würde. Goudsmit sagte dazu lächelnd, man hätte Wichtigeres im Kriege zu tun gehabt und keine Anstrengungen in dieser Richtung unternommen. Zu dieser Auskunft paßte auch, daß der deutsche Nachrichtendienst nie irgendwelche konkreten Nachrichten über Bauvorhaben in Amerika geliefert hatte, von denen auf ein solch großes Unternehmen hätte geschlossen werden können. Die vagen Drohungen, die 1944 über Lissabon zu Göring gelangt waren – daß Dresden mittels einer Atombombe zerstört würde, wenn Deutschland nicht binnen sechs Wochen kapitulierte –, hatten sich ja auch nicht bewahrheitet. Dresden war nicht von einer

---

* Diesen Brief fand ich auch in seinem Nachlaß; er durfte ihn damals nicht mehr an mich schicken.

Atombombe zerstört worden. Was also lag näher, als den Worten von Goudsmit zu glauben. Und Heisenberg glaubte ihm ohne Arg.

Es mag auch noch einen tieferen psychologischen Grund gegeben haben für Heisenbergs Leichtgläubigkeit: er hatte in Kopenhagen so große Anstrengungen gemacht, dies zu erreichen, was Goudsmit ihm jetzt mitteilte, daß er es nur allzu gerne glaubte – es war so ein guter Gedanke, seine Mission könnte vielleicht doch ein wenig dazu beigetragen haben, das Unheil einer solchen Entwicklung zu verhindern. Andererseits wußte Heisenberg natürlich auch, daß Goudsmit unter der höchsten Stufe der Geheimhaltung stand und nichts über die Bombe sagen durfte. Aber für Heisenberg war der Krieg vorbei; er war ein Gefangener der Amerikaner und war für das ganze ablaufende Geschehen sowieso jetzt irrelevant. Hätte Goudsmit ihm gesagt, er könne und dürfe auf solche Fragen keine Antworten geben – schließlich stünde man immer noch im Kriege, hätte er dies akzeptiert, und es wäre anders gewesen. Goudsmit hatte jedoch ganz dezidiert gesagt: »Wir haben keine Anstrengungen in dieser Richtung unternommen; wir hatten Wichtigeres zu tun.« Das leuchtete Heisenberg ein, und daher fühlte er sich doch später von ihm hintergangen und sagte einmal mit einiger Erbitterung darüber, als sein Verhalten nach dem Abwurf der Bombe über Hiroshima als Arroganz und absolute Ignoranz gedeutet wurde: »Ich konnte doch nicht wissen, daß Goudsmit mir so ins Gesicht die Unwahrheit sagte.«

Man sollte aber auch hier wohl etwas genauer hinschauen, wenn man den beiden Männern, die sich da von so völlig verschiedenen Positionen wiederbegegneten, gerecht werden will. Zuerst muß gesagt werden, daß Heisenberg wohl mit seinem Vorwurf, Goudsmit hätte ihn bewußt belogen, Unrecht hatte. Es ist anzunehmen, daß Goudsmit

19 Winter 1946/47: Elisabeth Heisenberg und Max Planck bei einer
Einladung der Engländer in Göttingen (German Scientific Advisory
Council) (oben)
20 Heisenberg mit seinem neuen Seminar in Göttingen (1947): Schlüter,
unbek., Heisenberg, Hoppe, Wildermuth (unten)

21 Elisabeth Heisenberg 1952 (Aufnahme von Susanne Liebenthal)

22 Heisenberg kurz nach dem Krieg (etwa 1946)

23 Wolfgang Pauli, Zürich 1953 (links oben)

24 Karl Wirtz (rechts oben)

25 Siegfried Balke (damals Forschungsminister), Otto Hahn, Konrad Adenauer, Werner Heisenberg und Ministerpräsident Hellwege während der 9. Hauptversammlung der Max-Planck-Gesellschaft in Hannover (1958) (unten) tatsächlich keine oder nur sehr geringe Informationen über den Bau der Atombombe besaß. Gerade diese Uninformiertheit ist wahrscheinlich ein Grund dafür, daß man ihn mit dieser Mission beauftragt hatte. Denn da das Hauptanliegen dieser ganzen Aktion ja gerade war, daß die Russen keinerlei Informationen über den Bau der Atombombe erhalten sollten, war es wichtig, daß auch der amerikanische Gewährsmann, der selbst in die Hände der Russen hätte fallen können, über den Stand der Dinge nicht informiert war. Andererseits ist es ganz unwahrscheinlich, daß er überhaupt nichts gewußt habe; für Heisenberg jedenfalls stellte es sich so dar, als hätte ihn Goudsmit bewußt getäuscht, und er hatte sich täuschen lassen – das kränkte ihn.

Nicht viel anders als dies verlief auch der weitere Teil des langen Gesprächs. Keiner dieser beiden Männer, die früher durch kollegiale Freundschaft verbunden waren, war jetzt in der Lage oder hatte genug Phantasie, sich vorzustellen, was wirklich in dem anderen vorging. Ein echter Kontakt kam in Wirklichkeit gar nicht zustande. Und doch funktionierten die alten, eingeübten freundschaftlichen Formen und täuschten über die Kluft hinweg, die zwischen ihnen bestand, und Heisenberg war der Täuschung erlegen. Er war auch diesmal wieder in seiner alten Illusion befangen, als bestünde noch etwas von der Offenheit und dem Vertrauen, das vor dem Kriege unter den Mitgliedern der »internationalen Familie der Physiker« bestanden hatte. Er meinte, wenn man sich erst wieder gegenüberstünde, wäre das alles wieder da, und er konnte und wollte nicht wahrhaben, daß ihn die Ereignisse längst aus diesem Vertrauen verstoßen hatten, daß die Realität der Politik eine viel größere Macht hat als alle ideellen Bindungen. Er war nicht der einzige, der diesem Irrtum verfallen war. Aus den Briefen an mich nach seiner Festnahme wird so deutlich, wie sehr er hoffte, nun könnte alles wieder werden wie früher. Die optimistische

Seite seines Wesens hatte wieder die Oberhand gewonnen – also glaubte er gerne, das Vertrauen von Goudsmit zu besitzen. So führte ihn gerade diese so positive und liebenswerte Seite seines Wesens wieder in die Irre.

Goudsmit dagegen hatte alles andere als Vertrauen Heisenberg gegenüber. Er mißtraute ihm tief. Für ihn war Heisenberg ein Deutscher, der sein Einverständnis mit dem, was in Deutschland geschehen war, gezeigt hatte, indem er alle Angebote aus Amerika abgelehnt hatte und in Deutschland geblieben war. Er, Goudsmit, war noch vor wenigen Tagen in Den Haag vor seinem zerstörten und ausgeplünderten Elternhaus gestanden, in dem er aufgewachsen war. Und er hatte sich diesen letzten Brief seiner Eltern ins Gedächtnis gerufen, bevor sie von den Nazischergen verhaftet und »wie Vieh« in Güterwagen abtransportiert und in einem dieser entsetzlichen Vernichtungslager in der Gaskammer »liquidiert« wurden. Er war noch von Trauer, Entsetzen, Schuldgefühlen ihnen gegenüber und natürlich auch von Haß aufgewühlt. Auch ihm enthüllte sich die ganze furchtbare Wahrheit ja erst jetzt. Trotzdem hatte er Heisenberg spontan mit der Frage begrüßt: »Wouldn't you want to come to America now and work with us?« Als aber Heisenberg antwortete: »No, I don't want to leave, Germany needs me!«, konnte er dies nur so interpretieren, daß Heisenberg von seiner eigenen Bedeutung und seinen Leistungen völlig geblendet sei; und er war nun davon überzeugt, daß Heisenbergs Handeln aus Opportunismus, Dünkel und Selbstüberschätzung zusammengesetzt war. So gab es also keine gemeinsame Basis mehr.

Als Goudsmit seine Mission in Deutschland beendet hatte und in die USA zurückgekehrt war, schrieb er ein Buch über seine Erlebnisse als Wissenschaftsexperte bei Alsos. Das Buch trägt den Titel: ›Alsos‹ und erschien 1947. Gewiß bestand ein starkes Bedürfnis zu erfahren, was denn nun eigentlich in Deutschland, das jetzt so jämmerlich darniederlag und vor dem man doch so lange Zeit in panischer Angst gelebt hatte, auf dem Gebiete der Atombombe geschehen war. Und niemand schien geeigneter, darüber berichten zu können, als Goudsmit – er wußte es wirklich aus erster Hand! Man hatte in Amerika tatsächlich stark überhöhte Vorstellungen von den technischen und wissenschaftlichen Möglichkeiten dieses doch letztlich kleinen Landes entwickelt, und es schien an der Zeit, die Dinge richtigzustellen. Dennoch war es offensichtlich noch zu früh, und die Emotionen waren noch zu stark erregt, um einen sachlichen und gerechten Bericht zu geben. Das Bild, das Goudsmit von den deutschen Atomwissenschaftlern, speziell aber von Heisenberg entwarf, stimmte mit der Wirklichkeit in fast nichts überein und klingt eher wie eine böse Karikatur, so daß die amerikanischen Zeitungen daraufhin große Balkenüberschriften brachten: TOP-NAZI Heisenberg.

Heisenberg hat mit Goudsmit über sein Buch einige Briefe gewechselt, und es ist bezeichnend für ihn, daß er die Rechtfertigung seiner Person dabei ganz aus dem Spiele ließ. Er hat sich lediglich gegen die Unterstellungen gewehrt, die verantwortlichen deutschen Wissenschaftler hätten nichts davon gewußt, wie eine Bombe zu konstruieren sei. Heisenberg antwortete in seinen Briefen vom 5. 1. und 3. 11. 1948 an Goudsmit, daß sie sehr wohl über die Kettenreaktion mit schnellen Neutronen Bescheid gewußt hätten, und fährt fort: »Im Übrigen lege ich auf diese Tatsache nicht etwa deshalb Wert, weil ich die Ergebnisse unserer Arbeit für besondere wissenschaftliche Leistungen hielte, auf die wir stolz sein müßten; ich glaube vielmehr im Gegenteil, daß diese ganze Entwicklung nach der Hahnschen Entdeckung und der Bohr-Wheelerschen Arbeit praktisch zwangsläufig war. Die große Leistung der amerikanischen und englischen Physiker sehe ich vor allem in der ungeheuren Effektivität der technischen Durchführung, in dem planvollen Einsatz größter Mittel, die nur von dem riesigen Industriepotential Amerikas bereitgestellt werden konnten.«

Goudsmit hat später bedauert, dieses Buch geschrieben zu haben, und hat sich diesbezüglich bei Heisenberg entschuldigt; dennoch ist das Buch eine der Quellen dafür, daß die Person Heisenberg derart ins Zwielicht geraten ist. Heisenberg selbst hatte längst darüber resigniert: »Weißt du«, sagte er zu mir, »die Geschichte wird immer vom Sieger geschrieben – damit muß man sich abfinden.« Das implizierte aber, daß sie dann so erscheint, wie der Sieger die Dinge gesehen hat und sehen wollte, was nicht zwangsläufig dem entspricht, was wirklich war.

Nach dem Heidelberger Verhör wurde Heisenberg nicht entlassen – wie man nach den Versprechungen von Oberst Pash es eigentlich hätte erwarten müssen, sondern er wurde stattdessen nach Paris gefahren, wo er zu seinem größten Erstaunen mit den anderen in Gewahrsam genommenen Atomwissenschaftlern zusammentraf. Es waren jetzt neun Wissenschaftler, v. Laue, Hahn, Gerlach, v. Weizsäcker, Wirtz, Bagge, Diebner, Korsching und Heisenberg; Harteck aus Hamburg kam als Zehnter ein paar Tage später. In Paris waren sie äußerst spartanisch untergebracht und wurden streng militärisch bewacht – sie wurden gehalten wie Kriegsverbrecher; aber das währte nicht lange, und nach einem Zwischenaufenthalt von einigen Wochen in einem kleinen Landschlößchen in Belgien wurde die Gruppe schließlich nach England geflogen und in einem alten, damals verlassenen Landsitz, genannt Farm-Hall, in der Nähe von Cambridge untergebracht. Dies war nun ein durchaus angenehmes Quartier; das gut möblierte Haus lag in einem großen Garten mit verwilderten Rosenbeeten und weiten Rasenflächen. Deutsche Gefangene, unter ihnen ein Koch, sorgten für Küche und Haus, ein freundlicher englischer

Offizier betreute sie. Die zehn deutschen Wissenschaftler saßen in Farm-Hall wie in einem goldenen Käfig, und es fehlte ihnen an nichts. Heisenberg bekam sogar ein Klavier – zwar hatte er keine Noten, aber es machte ihm Freude, die großen Musikstücke, die er einmal auswendig gelernt hatte, wieder aus dem Gedächtnis hervorzuholen und zu reproduzieren. Außerdem gab es eine Bibliothek mit allerlei guter englischer Unterhaltungslektüre, man konnte im Garten arbeiten, Sport treiben, abends wurde Bridge gespielt und – speziell die Theoretiker, die es darin einfacher hatten – wandten sich wieder ihrer Wissenschaft zu und vertieften sich in unverfängliche Grundlagenprobleme. Täglich wurden Seminare abgehalten mit wissenschaftlichen Diskussionen. Dieses Leben dauerte ein halbes Jahr. Mitten hinein fiel die Nachricht vom Abwurf der Bombe über Hiroshima.

Die Amerikaner hatten in den Zimmern der Gefangenen in Farm-Hall Abhörgeräte eingebaut, mit deren Hilfe alles, was von den deutschen Wissenschaftlern gesprochen wurde, auf Band aufgenommen worden ist. Die Deutschen, an diese Methoden von den Nazis gewöhnt, spekulierten über eine solche Möglichkeit. Einige machten sich daran, hinter den Bildern und unter dem Teppich nach den »Wanzen« zu suchen. Andere reagierten mit mehr Gleichmut. Heisenberg erzählte mir später, als wir uns wiedersahen, davon und sagte, er habe – im Scherz – den Amerikanern oder auch Engländern eins auswischen wollen und habe – im Hinblick auf die Möglichkeit, daß sie es hörten – gesagt: »Man sollte doch eigentlich nicht annehmen, daß man sich in dem ›guten alten England‹ solcher Gestapo-Methoden bediene!« – Damit war für ihn die Sache abgetan, und er kümmerte sich nicht mehr darum, ob man abgehört wurde oder nicht.

Die damals entstandenen Bänder liegen seither in England oder Amerika unter Verschluß. Sie werden des öfteren zitiert, sind aber – soweit ich orientiert bin – noch niemandem vorgelegt worden, der die deutsche Sprache auch in ihren Nuancen beherrscht, die Sprecher kennt und daher die dort abhörbaren Gespräche wirklich genau zu interpretieren in der Lage ist. General Groves, der organisatorische Leiter des ›Manhattan Projects‹ hat in seinen Memoiren ›Now it can be told‹ Teilstücke dieser Bänder in englischer Übersetzung veröffentlicht und nimmt außerdem in seinem Kapitel über die deutschen Atomforscher immer wieder auf sie Bezug, auch ohne die betreffenden Stellen zu zitieren. Der deutsche Übersetzer dieser Erinnerungen, der sich der Problematik der Bänder-Übersetzung wohl bewußt ist, schreibt in einer Fußnote: »Der Verfasser hat sich sehr bemüht, den Originaltext dieser und der späteren, in Kapitel 24 wiedergegebenen Mikrophonaufnahmen zu erlangen, aber keine Spur davon finden können. Er hält es für möglich, daß damals nur der englische Text nach Washington gesandt worden ist. Der hier wiedergegebene deutsche Text ist also eine Rückübersetzung aus dem Englischen.«

Nun weiß man aus Erfahrung, daß durch eine zweimalige Übersetzung jeder Text in seinem ursprünglichen Sinn außerordentlich leicht entstellt werden kann. Insbesondere, wenn es sich um so emotionale, mit Politik und schwieriger Psychologie durchsetzte Texte handelt wie diese, ist eine sinngetreue zweifache Übersetzung kaum mehr möglich. So kommt es auch, daß in meinen Ohren die meisten Texte, die doch von Personen gesprochen worden sind, die ich alle gut gekannt habe, fremd und entstellt klingen. Auch die oben erwähnte Stelle über die eingebauten Abhörgeräte hat in der englischen Übersetzung ein ganz anderes Kolorit erhalten. Bei General Groves heißt es: »Microphon installed? (Laughing) Oh, no! They' re not as cute as all that. I don't think they know the real Gestapo methods; they are a bit old-fashioned in that respect.« Nun – ich kenne Heisenbergs Orginaltext nicht wirklich. Sicher aber ist, daß in dieser

Übersetzung nichts mehr von dem erkennbar ist, was er mir berichtet hat: von dem kleinen liebenswürdigen Spott. In der deutschen Rückübersetzung, derer sich auch Armin Hermann in seiner Heisenberg-Biographie bedient, klingt es noch härter und arroganter: »Mikrophone eingebaut? (Lachend) Oh nein! So gerissen sind die nicht. Ich glaube nicht, daß sie die wahren Gestapo-Methoden kennen; in dieser Beziehung sind sie ein bißchen altmodisch.« Für mich ist es einfach undenkbar, daß Heisenberg so gesprochen haben soll.

Wenn also diese Bänder in Amerika so oft zitiert und als Beweis benutzt werden für die Anmaßung und Ahnungslosigkeit der deutschen Wissenschaftler, so sollte man dem entgegenhalten, daß eine Interpretation einer solchen Dokumentation, wie es diese Bänder sind, unweigerlich in die Irre führen muß, wenn man die Originale nicht von Experten begutachten läßt, die nicht nur die deutsche Sprache in ihren Nuancen verstehen, sondern auch in der Lage sind, die Psychologie der einzelnen Personen, insbesondere aber auch in ihrer komplizierten Beziehung untereinander richtig in die Analyse einzubeziehen. Auf diese psychologische Situation möchte ich darum noch etwas genauer eingehen.

Natürlich war der Abwurf der Bombe für die zehn so verschiedenartigen Wissenschaftler ein ungeheurer Schock – aus vielen Gründen! Jeder reagierte anders in dieser Situation. Aber alle waren erschrocken und tief bestürzt. Man wußte zuviel von den Schrecken der Luftangriffe, und jeder von ihnen hatte sich die Zerstörungskraft einer solchen Bombe schon zu oft ausgemalt, so daß keiner sich dem Grauen entziehen konnte. Dahinein mischte sich natürlich auch Bewunderung, bei einzelnen vielleicht sogar Neid und Bitterkeit – das mag sein –; Hahn hingegen reagierte mit Verzweiflung. Er fühlte sich schuldig – seine Freunde hatten ernstliche Sorge, er könne sich etwas antun. Heisenberg reagierte mit Zweifel und Unglauben. Das ist nicht untypisch für ihn. Das Schreckliche will und kann er erst einmal nicht glauben und nicht wahrhaben. Jetzt glaubte er es einfach nicht; er nannte es einen »bluff« und entwarf allerlei unhaltbare Theorien, was das wohl für eine Bombe sein könnte. Seine tief in ihm einwohnende Abwehrhaltung gegen das Schreckliche wurde sicherlich auch dadurch bestärkt, daß er sich die ganze Zeit die technischen und organisatorischen Schwierigkeiten bei der Konstruktion der Bombe so groß vorgestellt und wohl auch die menschlichen und wirtschaftlichen Ressourcen Amerikas doch noch unterschätzt hatte, so daß es ihm ganz unglaublich erschien, daß es den Amerikanern wirklich in so kurzer Zeit gelungen sein sollte, aller dieser Schwierigkeiten Herr zu werden. Es war ja auch wirklich eine großartige Leistung! Aber er hatte auch die Aussage von Goudsmit im Gedächtnis, der gesagt hatte, man hätte mit dem Atombombenprojekt in den USA nichts im Sinne gehabt – das war sicherlich auch ein Grund, warum er so lange an der Bombe herumrätselte und falsche Hypothesen aufstellte, so lange, bis schließlich die Fakten keine andere Deutung mehr zuließen.

Es besteht wohl kein Zweifel darüber, daß die Bänder das Menschlich-Allzumenschliche einer so fast zufällig zusammengepferchten Gruppe gravierend offenbaren würden. Diese zehn Wissenschaftler waren keineswegs eine homogene Gesellschaft. Sie waren fast alle ausgeprägte, aber durchaus nicht alle auch abgeklärte und überlegene Persönlichkeiten, und sie kamen von sehr unterschiedlichen Anschauungen her – im Menschlichen sowie im Politischen. Schon auf die Gefangenschaft reagierte jeder auf seine Weise – einige von ihnen waren davon ganz verstört, gereizt und entwickelten sonderbare Reaktionen und Empfindlichkeiten, andere wiederum waren in Sorge um ihre Familien, die in den Wirren des Kriegsendes in Deutschland zurückgeblieben waren und von denen sie fast nichts mehr hörten; einige wiederum fanden ihre Internierung empörend, während andere mit Gleichmut und Humor die Situation besser meisterten. Aber noch stärker wurden sie durch ihre Vergangenheit getrennt, denn auch gerade in ihrer politischen Herkunft unterschieden sie sich recht kraß voneinander und fanden keine Gemeinsamkeit untereinander. Da gab es den, der aktiv in der Partei mitgemacht hatte und ihnen allen eine Zeit lang als Aufsichtsperson vor die Nase gesetzt worden war, oder den, der immer noch in den Kategorien des Nazismus oder zumindest Nationalismus dachte und voll war von Argwohn und Ressentiment gegen die Andersdenkenden – da gab es ebenso den, der in völliger Unversöhnlichkeit in den passiven Widerstand gegangen war, oder auch den, der wie Heisenberg versucht hatte, den Kampf gegen den Nationalsozialismus wenigstens in seinem eigenen Bereich nicht aufzugeben und dort das Rechte und Mögliche zu tun und zu bewahren. Über den Krieg hatten sie alle verschiedene Meinungen, ebenso über den Erfolg oder Mißerfolg ihrer gemeinsamen Bemühungen. Die Skala der Standpunkte war weit, und die Gegensätze unter der Oberfläche schärfer, als man außen sah. Zwar waren sie alle geübt im objektiven Denken, aber das, was gewesen war, war noch lange nicht in diese Kategorie des Objektiven eingegangen, im Gegenteil! Die Vergangenheit steckte ihnen allen wie ein bitterer Kloß im Halse, den sie nicht einfach herunterschlucken konnten – so oder so, denn schuldig waren sie alle geworden, so wie jeder schuldig war, ob er in irgendeiner Weise an dem Geschehen teilgenommen oder sich von der Bühne des Geschehens abgesetzt und die Dinge ihrem Lauf überlassen hatte – oder auch wie diejenigen, die am Bau der Atombombe oder ihrem Abwurf beteiligt waren. In Schuld waren sie alle geraten, aber nicht jeder fühlte das in gleicher Stärke – und gerade das schuf große Spannungen zwischen ihnen. Um das Zusammenleben erträglich zu machen, mußte daher das Gespräch »Politik« weitgehend ausgespart werden, und außer im kleinsten, vertrautesten Kreise wurde es reduziert auf Alltäglichkeiten oder auf wissenschaftliche Diskussion. General Groves registriert dies mit höchster Verwunderung und mit völligem Unverständnis.

Wie psychologisch schwierig die Interpretation der Bänder ist, möchte ich noch an dem Beispiel Otto Hahns aufzeigen. Hahn hatte in dem Kreis der zehn deutschen Wissenschaftler in Farm-Hall eine Sonderstellung. Durch sein hochherziges und liebenswürdiges Wesen war er der Vermittler zwischen den einzelnen Kontrahenten und konnte die schweren Gegensätze und Spannungen, die immer wieder auftraten, ausgleichen. Aber Hahn war z. B. nicht in die Problematik des Baus der Atombombe eingeweiht. Er hatte im Kriege an chemischen Problemen ganz anderer Art gearbeitet und gehörte nicht zum Mitarbeiterkreis Heisenbergs in Hechingen. Hahns Institut lag in Tailfingen; man sah sich selten und redete nicht miteinander über solche brisanten Themen, weder damals noch jetzt in der Gefangenschaft. Dazu kommt ein Zweites: Hahn besaß die Gabe eines sehr spezifischen Humors, den er immer dann einsetzte, wenn die Situation äußerst gespannt und geladen war, ja, wenn er selber ganz verzweifelt war. Es war eine Art Galgenhumor, und er sagte später einmal zu mir: »Ach, ich war ja immer der Clown, aber eigentlich hat mein Herz dabei immer geweint!« Aber damit war er in unvergleichlicher Weise fähig, eine verzweifelte Situation zu entspannen und zu entschärfen. Das muß man wissen, wenn man Hahns Ausspruch verstehen will, der im Englischen lautet: »If the Americans have an uranium bomb then you all are second-raters. Poor old Heisenberg!« Und später nochmal: »At any rate, Heisenberg, you' re just second-raters, and you may as well pack up!«* Wie seine Worte wirklich geklungen haben, kann man aus diesen englischen Worten nicht ersehen, aber dennoch ist dies seine Art, mit ein paar etwas aggressiven Worten einen Witz zu machen und damit der Situation ihre gefährliche Schärfe und Spannung zu nehmen.

Eine kleine Episode möge dies noch unterstreichen. Bei dem ersten Groß-Luftangriff auf Berlin saßen alle führenden Wissenschaftler der Kaiser-Wilhelm-Institute zusammen im Luftschutzkeller des Luftfahrtministeriums, denn sie hatten auf Geheiß von Göring den Vortrag eines Physiologen über die Wirkung von Sprengbomben anhören müssen. Der Redner hatte des längeren ausgeführt, daß der Tod durch Sprengbomben eigentlich ein humaner Tod sei, da die Luftbläschen der Lunge durch den Überdruck sofort zerplatzten und der Mensch auf der Stelle tot sei. Als nun die großen Sprengbomben niedersausten und in einem Inferno von gräßlichem Getöse explodierten und alle, auch der Referent, in dem dunklen Keller aufstöhnten, ertönte plötzlich Hahns Stimme: »Der Kerl, der soundso, der glaubt seine eigene Theorie nicht mehr!« Die Wirkung von Hahns Worten war unglaublich; Heisenberg erzählte es mir voller Bewunderung. Die entsetzliche Spannung wich, man lachte befreit – der Bann war gebrochen.

Das Buch von General Groves wird den deutschen Wissenschaftlern an vielen Stellen eher gerecht als das von Goudsmit. Die Schilderung der Urfelder Ereignisse allerdings hat mit der Wirklichkeit nur entfernt zu tun. Und neben allerlei anderen Unstimmigkeiten entspricht auch der Schluß, zu dem er über die Arbeiten der deutschen Atom-

---

* Diese Stelle würde in der deutschen Übersetzung ungefähr lauten: »Wenn die Amerikaner die Atombombe haben, dann sind Sie alle Versager. Armer alter Heisenberg! . . . Jedenfalls sind Sie ein Versager, Heisenberg, und können einpacken!«

wissenschaftler kommt, nicht den Tatsachen. Er schreibt: »The Germans had not thought of using the bomb designs we used. Ours took advantage of fast neutrons; the Germans thought, that they had to moderate them as in a pile. In effect, they thought, that they would have to drop a whole reactor, to achieve a reasonable weight they would need this enormous amount of U-235.«* Dem entgegen stehen die bezeugten Aussagen von Heisenberg während der Sitzung am 4. Juni 1942, bei der er auf die Frage, wie groß eine Bombe sein müßte, um eine Stadt wie London zu zerstören, geantwortet hatte: »So groß wie eine Ananas.« Aber um diesen Kenntnisstand der Deutschen zu akzeptieren, hätte General Groves die Vorstellung fallen lassen müssen, daß die Deutschen nichts von der Konstruktion der Bombe verstanden, aber doch mit aller Kraft an ihrer Entwicklung gearbeitet hätten. Zu diesem Zugeständnis war er jedoch nicht in der Lage.

Zum Abschluß dieses Kapitels sei hier noch das Memorandum angefügt, das die deutschen Wissenschaftler einige Tage nach dem Abwurf der Bombe verfaßt hatten. Darin heißt es:

»Da die Presseberichte der letzten Tage teilweise unrichtige Darstellungen über eine angebliche Arbeit in Deutschland an der Atombombe enthalten, möchten wir kurz die Entwicklung der Arbeit an der Atombombe darlegen.

1. Die Spaltung des Uranatomkerns wurde im Dezember 1938 im Kaiser-Wilhelm-Institut für Chemie von Hahn und

---

* Die Deutschen benutzten nicht den Plan für die Bombe, den wir unseren Arbeiten zugrundelegten. Wir machten uns die »schnellen Neutronen« zunutze, während die Deutschen dachten, sie müßten die Neutronen im Reaktor abbremsen. Sie glaubten tatsächlich, man müsse einen ganzen Reaktor abwerfen, und meinten, sie benötigten, um eine brauchbare Sprengkraft zu erzielen, diese enorme Menge von U-235.

Straßmann entdeckt. Es war das Ergebnis rein wissenschaftlicher Forschung, die mit praktischer Anwendung nichts zu tun hatte. Erst nach der Veröffentlichung wurde in verschiedenen Ländern fast gleichzeitig entdeckt, daß die Kernspaltung eine Kettenreaktion der Atomkerne und daher ihre technische Ausnutzung zum Antrieb von Maschinen ermögliche.

2. Zu Kriegsanfang wurde eine Forschergruppe mit dem Auftrag gebildet, die praktische Anwendung dieser Energie zu untersuchen. Ende 1941 hatte die anfängliche wissenschaftliche Arbeit daran erwiesen, daß es möglich wäre, die Kernenergie zur Erzeugung von Wärme zu nutzen und dadurch Maschinen anzutreiben. Andererseits schien es zur Zeit nicht ausführbar, bei den in Deutschland vorhandenen Möglichkeiten eine Atombombe herzustellen. Daher wurde die weitere Arbeit auf das Problem der Maschine konzentriert, für die außer Uran Schweres Wasser erforderlich ist.

3. Zu diesem Zweck wurde die Anlage der Nors Hydro bei Rjukan für die Produktion größerer Mengen Schweren Wassers erweitert. Die Angriffe auf dieses Werk, erst durch das Kommando-Unternehmen und später durch Flugzeuge, legten diese Produktion still.

4. Zu derselben Zeit wurden in Freiburg und später in Celle Versuche unternommen mit dem Ziel, die Benutzung von Schwerem Wasser durch Konzentration des seltenen Isotops U-235 überflüssig zu machen.

5. Mit dem noch vorhandenen Vorrat an Schwerem Wasser wurden die Experimente zur Energieerzeugung erst in Berlin und später in Haigerloch (Württemberg) fortgesetzt. Gegen Ende des Krieges war diese Arbeit so weit fortgeschritten, daß der Bau einer Leistung abgebenden Maschine wahrscheinlich nur noch kurze Zeit beansprucht hätte. «

Dieses Memorandum enthält nichts über die eigentliche Problematik, mit der die Physiker während des Krieges konfrontiert waren – aber darüber Aussagen zu machen, war es damals noch viel zu früh.

Die zehn Gefangenen in Farm-Hall warteten von Tag zu Tag auf ihre Entlassung. Sie unterstanden ja keiner landläufigen Gerichtsbarkeit; sie waren auch gar nicht für »schuldig« befunden, sondern wurden »in Gewahrsam« gehalten als Kriegsbeute sozusagen, die man nicht den Russen oder Franzosen überlassen wollte. Ihr offizieller Status war: »Detained at his Majesty's pleasure«, eine kuriose Art der Festsetzung. Und die Gefangenen fragten denn auch des öfteren ihre wachhabenden Offiziere, »ob seine Majestät nicht langsam genug Vergnügen an ihrer Gefangenschaft habe!« Diese Art der Gefangenschaft hat aber trotz des Fehlens einer Gerichtsbarkeit ihre festen Gesetze: sie darf nicht länger als sechs Monate währen; und so kam es, daß, auf den Tag genau nach einem halben Jahr, die zehn Gefangenen wieder nach Deutschland zurückgebracht wurden. Zuerst wurden sie noch in einer Art halbem Gewahrsam gehalten in Alswede, einem kleinen Städtchen dicht bei Minden, wo sich damals das englische Hauptquartier befand. Dort durften wir Frauen endlich unsere Männer wiedersehen. Dann, nach einigen Wochen, wurden einzelne entlassen. Heisenberg und Hahn mußten noch bleiben. Denn es bestand noch Unklarheit darüber, wo Heisenbergs Institut und die Generalverwaltung der Kaiser-Wilhelm-Gesellschaft hinkommen sollten. Dennoch: der neue Anfang rückte in greifbare Nähe – das neue Leben, auf das man durch all die dunkle Zeit hindurch gehofft hatte.

VIII. Kapitel

Nach dem Kriege

In der Zeit der Gefangenschaft stand für die zehn Wissenschaftler in Farm-Hall in gewissem Sinne die Zeit still – draußen dagegen fielen große Entscheidungen, die Welt veränderte sich. Was sollte aus der Kaiser-Wilhelm-Gesellschaft werden? Ihr Präsident, Dr. Vögler, hatte bei Kriegsende in Dortmund den Tod gefunden. Und im Registerwerk des Amtsgerichts Berlin wurde neben die Kaiser-Wilhelm-Gesellschaft der Vermerk angebracht: »In dissolution«. Es gab also starke Bestrebungen, die Kaiser-Wilhelm-Gesellschaft einfach aufzulösen. Es gab aber auch andere Stimmen innerhalb der Besatzungsmacht und auf deutscher Seite einen außerordentlich tüchtigen Generalsekretär der Gesellschaft: Dr. Telschow. Er hatte bereits am Ende des Krieges, entgegen einem Verbot der Regierung, für den »Endfall« vorgesorgt und einen Teil der Generalverwaltung aus Berlin nach Göttingen verlegt, dazu einen bedeutenden Geldbetrag, einen »eisernen Fonds«, freigemacht und an die Institute verteilt, damit diese die große Krise, die bevorstand, überdauern könnten.

Die meisten Direktoren der Kaiser-Wilhelm-Gesellschaft waren jetzt aber für die Göttinger Gruppe unerreichbar, teils weil sie sich, wie Hahn und Heisenberg, in England befanden oder als »very important persons«, wie es damals hieß, in »einstweiligem Gewahrsam« festgehalten wurden, oder auch einfach deswegen, weil die Institute der Gesellschaft über ganz Deutschland verstreut waren und dadurch in verschiedenen Besatzungszonen lagen; die Zonengrenzen aber bildeten damals ein fast unüberwindliches Hindernis. Unter diesen Umständen entschloß sich Telschow aus eigener Initiative zu handeln.

Es war ein großes Glück für die Gesellschaft, daß am 4. Juni 1945 Max Planck als Flüchtling in Göttingen eintraf. Er war zwar ein alter, gebrochener Mann. Sein Sohn Erwin war noch am Schluß des Krieges trotz aller Interventionen Plancks und seiner Freunde von den Nazis ermordet worden, was ihn so tief erschütterte, daß er sich davon nie wieder recht erholen konnte. Er selbst hatte eine schlimme Zeit der Flucht hinter sich. Tagelang war er mit seiner Frau unter großen Schmerzen und allen nur erdenklichen Entbehrungen zu Fuß durch die Wälder nach Westen geflohen, um nicht den Russen in die Hände zu fallen, bis er schließlich auf dem Gut eines Freundes in der Nähe von Magdeburg Schutz fand. Als aber dann dieses Gebiet den Russen ausgeliefert wurde, mußte Planck wieder fort. Amerikanische Jeeps brachten den schwerkranken und leidenden alten Gelehrten nach Göttingen, wo er dann bei Verwandten eine liebevolle Aufnahme fand.

Trotz allem aber war Plancks Erscheinen in Göttingen für Telschow eine große Hilfe. Er war vor Dr. Vögler acht Jahre lang Präsident der Gesellschaft gewesen – und nun bat ihn Telschow, nochmal vorübergehend die Präsidentschaft zu übernehmen und sich für die Neuordnung der Kaiser-Wilhelm-Gesellschaft zur Verfügung zu stellen. Trotz seiner Schwäche versagte sich Planck nicht dieser Aufgabe; und seine Zusage bedeutete damals, direkt nach dem Kriege, wahrscheinlich die Rettung der Gesellschaft. Sie hatte nun wieder ein Zentrum, von dem aus gehandelt werden und mit dem man verhandeln konnte.

Zunächst war das Wichtigste, festzustellen, was von all den Instituten noch vorhanden war. Dr. Telschow begann also zu reisen, um eine Bestandsaufnahme der Institute zu machen und die dort arbeitende Belegschaft vom Fortbestehen der Gesellschaft in Kenntnis zu setzen und zum Durchhalten zu ermutigen. Wer sich der Mühsal solcher Reisen unter den damaligen noch absolut chaotischen Verhältnissen erinnert, wird ermessen können, wie geradezu heroisch dieser Entschluß von Telschow war. Frau Bollmann, die treue Begleiterin von Telschow und seine langjährige Mitarbeiterin berichtet darüber: »Dankenswerterweise gab uns die Britische Militärregierung in Göttingen einen beschlagnahmten Mercedes-Diesel-Wagen frei, der uns ... in den nächsten Monaten zu den Instituten in allen drei Zonen führte. ... Jede Reise war ein Abenteuer. Ausweiskontrollen, Durchsuchungen nach Lebensmitteln, Verhöre, Reifenpannen am laufenden Band, Treibstoffmangel, fehlende Ersatzteile, große Schwierigkeiten beim jeweiligen Umtausch der Lebensmittelmarken, Quartiersorgen u. a. wechselten in bunter Reihenfolge ab ...«[*] Aber Telschows Bemühungen hatten sich gelohnt. Was er vorfand, war ermutigend. Die Gesellschaft hatte trotz aller Zerstörungen noch einen beachtlichen Grundstock an betriebsfähigen Instituten, in denen die wissenschaftliche Arbeit wenigstens in kleinem Maße wieder aufgenommen werden konnte.

Am 24. Juli 1945 schickte dann Planck ein Rundschreiben an alle Direktoren, die erreichbar waren, und an die Herren des Verwaltungsrates, die man hatte auffinden können, in dem er vorschlug, Otto Hahn zum neuen Präsidenten der Kaiser-Wilhelm-Gesellschaft zu wählen. Otto Hahn besaß ein nicht gebrochenes Vertrauenspotential im Inland wie im Ausland. Er war konziliant, zuverlässig und überall beliebt – er war zweifellos der richtige Mann. Dieser Vorschlag

---

[*] Erika Bollmann: Erinnerungen und Tatsachen, Stuttgart 1956.

wurde dann auch von allen einmütig angenommen – aber Hahn saß einstweilen noch in England in Gefangenschaft.

Dies etwa war der Zustand der Gesellschaft, als die zehn Inhaftierten im Januar 1946 nach Deutschland zurückkamen und nach und nach an ihre Arbeitsplätze und zu ihren Familien zurückkehren durften. Harteck wurde nach Hamburg, Gerlach, der nicht in die amerikanische Zone einreisen durfte, nach Bonn entlassen. Auch Heisenberg bekam keine Erlaubnis, in die amerikanische Besatzungszone zu fahren und konnte uns deshalb in Urfeld noch nicht besuchen. Zu seiner großen Enttäuschung durfte er auch nicht in die französische Zone einreisen, um sein Institut wieder in die Hand zu nehmen. Der Oberste Kontrollrat hatte beschlossen, daß das Institut von Heisenberg zusammen mit der Generalverwaltung in der englischen Zone neu angesiedelt werden solle. Hamburg und Göttingen standen dafür zur Diskussion. Bereits am 25. 1. 46 schrieb mir Heisenberg aus Alswede: »Es sieht jetzt so aus, als ob wir nach Göttingen kämen, aber die Entscheidung darüber liegt bei den höchsten Stellen ...«, und diese höchsten Stellen konnten sich untereinander keineswegs einig werden, so daß diese Entscheidung lange Zeit auf sich warten ließ. Schließlich aber fielen die Würfel für Göttingen. Göttingen war unzerstört und bot in den alten Hallen und Gebäuden der Aerodynamischen Versuchsanstalt, der AVA, genügend Platz, um die neuen Institute und die Verwaltung der Gesellschaft unterzubringen. Überdies verfügte Göttingen über eine lange ruhmreiche naturwissenschaftliche Tradition, die auch bei den Engländern in hohem Ansehen stand. Daran konnte angeknüpft werden.

Am 1. April 1946 übernahm Otto Hahn dann die Geschäfte der Kaiser-Wilhelm-Gesellschaft. Aber auch dies war noch ein Provisorium, und es kostete ungezählte, zähe Verhandlungen, bis im September 1946 in Bad Driburg die Gründungsversammlung der neuen Gesellschaft mit der of-

fiziellen Ernennung von Hahn zum neuen Präsidenten stattfinden konnte. Eine der ersten Amtshandlungen des neuen
Leitungsgremiums war es, die Gesellschaft, für die man
jetzt auch eine neue, demokratischere Ordnung anstrebte,
in »Max-Planck-Gesellschaft« umzubenennen. Auch Max
Planck war eine Persönlichkeit, die noch unangefochtenes
Vertrauen besaß, und er war jahrelang der Präsident der Gesellschaft gewesen.

Für Heisenberg war die Untätigkeit, in die ihn die Gefangenschaft in England versetzt hatte, schwer zu ertragen gewesen, hatte er sich doch so bewußt für den Zeitpunkt des
Wiederaufbaus bereit gehalten. Und nun saß er in England
in einem goldenen Käfig. Das einzige, was er zu einer günstigen Entwicklung von dort aus hatte beitragen können,
waren einige Gespräche, die er während zweier Sitzungen in
der Royal Society in London mit einigen seiner englischen
Kollegen führen konnte, denn freundlicherweise hatte man
gegen Ende des Jahres Hahn und Heisenberg zu den Sitzungen der Gesellschaft, deren Mitglieder sie waren, eingeladen. Bei dieser Gelegenheit sprach Heisenberg vor allem
mit Prof. Blackett, dessen politischer Einfluß damals in
England groß war. Blackett hat sich dann auch wirklich in
den zähen Verhandlungen um den Wiederaufbau der Kaiser-Wilhelm-Gesellschaft und die Wiederbelebung der deutschen Forschung entscheidend für die deutschen Belange
eingesetzt, und er ist sicherlich auch dafür verantwortlich zu
machen, daß dem deutschen Team dann in Göttingen eine
englische Kommission an die Seite gegeben wurde, die von
Dr. Bertie Blount geleitet wurde und den Auftrag hatte, die
Deutschen in ihren Bemühungen zu unterstützen, aber auch
dafür zu sorgen, daß in den neu entstehenden Instituten nur
Grundlagenforschung getrieben und nichts begonnen wurde, was mit Kernphysik zu tun hatte und zu Reaktorbau
oder gar Atombomben führen konnte. Es entstand dann

zwischen Oberst Blount und seiner Gruppe auf der einen Seite und den leitenden Wissenschaftlern, die sich nach und nach in Göttingen zusammenfanden, auf der anderen Seite eine faire und sehr effektive Zusammenarbeit, aus der sich gerade zwischen Heisenberg und Blount eine jahrzehntelang anhaltende Freundschaft entwickelt hat.

Liest man diesen kurzen Bericht über den Wiederaufbau der Kaiser-Wilhelm-, bzw. der Max-Planck-Gesellschaft, so kann man sich daraus kaum eine Vorstellung machen von der Mühsal, die jeder Schritt voran kostete. Zu fast jedem dieser Schritte mußte der Oberste Kontrollrat seine Zustimmung geben, und dort bestand zwischen den vier Mächten Rußland, Frankreich, England und Amerika keineswegs Einigkeit, weder über die Art und Weise ihres Vorgehens noch über ihre Ziele. Auch war die Tendenz stark, die Kompetenzen der Deutschen so klein wie möglich zu halten. Diese Situation brachte in alle Beschlüsse der Deutschen ein starkes Element von Unsicherheit. Außerdem war die Beweglichkeit jedes einzelnen außerordentlich eingeschränkt, Passierscheine zu erhalten war eine ermüdende und zeitraubende Angelegenheit; die wenigen Autos, die es gab, wurden mit Holz betrieben, denn auf rechtmäßigem Wege konnte ein normaler Sterblicher kein Benzin erhalten, und die Eisenbahnen waren in der Regel noch immer in einem desolaten Zustand. Ich selber reiste Anfang November 1945 einmal von Urfeld nach Frankfurt, um im amerikanischen Hauptquartier etwas über das Schicksal meines Mannes zu erfahren, aber auch, weil meine Geldmittel zu Ende gingen und ich nicht mehr wußte, wie ich in Zukunft das wenige bezahlen sollte, mit dem wir sowieso nur hungernd über die Runden kamen. Für diese Reise brauchte ich 3 Tage und 2 Nächte, ohne eine warme Suppe oder eine Unterkunft; die Züge waren verschmutzt, überfüllt, ohne Fensterscheiben. Auch in Frankfurt, das ja weitgehend zerstört war, gab es kein Zimmer. Schließlich stand ich, wie durch ein Wunder, vor Professor Robinson, demjenigen Mann im amerikanischen Hauptquartier, der über meinen Mann Bescheid wissen mußte. Ich war so verhungert, schmutzig und erschöpft, daß er mich zuerst einmal in seine Wohnung nahm und mir etwas zu essen gab; dann verschaffte er mir ein Zimmer, wo ich schlafen konnte. Über meinen Mann erfuhr ich, daß es ihm nicht schlecht ginge und ich mir keine Sorgen um ihn zu machen brauchte. Und dann ließ er mich durch einen englischen Colonel nach Hechingen bringen, wo ich wieder für einige Monate mit dem nötigsten Geld versorgt wurde.

Das war im November 1945; 1946 waren die Verhältnisse schon etwas besser geworden, dennoch mußte auch jetzt noch jeder Schritt vorwärts mühsam erkämpft werden. Manchmal erschien alles fast hoffnungslos, und manche unserer Bekannten gaben auf und suchten nach Möglichkeiten, nach Amerika zu kommen, das damals vielen als das Eldorado des Lebens erschien. Auch in dieser Zeit bekam Heisenberg noch Anfragen, ob er nicht nach Amerika auswandern wolle. Er lehnte auch jetzt ohne zu zögern ab. Er hatte seinen Entschluß schon längst gefaßt; schon aus Alswede schrieb er mir: »Du fragst, ob wir die Wahl hatten, in Deutschland zu bleiben oder nach Amerika zu gehen. Hahn und ich sind halboffiziell gefragt worden. Goudsmit hat mich gleich beim ersten ›Verhör‹ in Heidelberg gefragt, ob ich nach Amerika wolle, und Blackett hat in England die Frage nochmal angeschnitten. Ich hatte mir das schon vorher sehr reiflich überlegt und etwa folgenden Standpunkt eingenommen: Ich bin mir klar darüber, daß in den nächsten Jahrzehnten Amerika das Zentrum des wissenschaftlichen Lebens sein wird, und daß die Bedingungen für meine Arbeit in Deutschland viel schlechter sein werden als drüben ... Ich jedenfalls will in den nächsten Jahren versuchen, hier beim Wiederaufbau zu helfen, und wenn die Uneinigkeit der Politiker das nicht zu sehr stört, muß es doch auch gelingen, wieder etwas von dem regen geistigen Leben der 20er Jahre zu wecken ... Daß es in vieler Weise schöner und bequemer wäre, in Amerika zu leben, das muß man halt in Kauf nehmen.« Aber seine Ausdauer und seine Beharrlichkeit wurden nochmal auf eine große Probe gestellt.

Während das deutsche Arbeitsteam, bestehend aus Heisenberg, v. Weizsäcker, Wirtz und Bagge den Neuanfang des Instituts plante, wurden die großen Windkanäle der AVA abmontiert und nach England gebracht, und jegliches wissenschaftliches Inventar und alle Gebrauchsgegenstände, mit denen man schon insgeheim gehofft hatte, anfangen zu können, wurden abtransportiert, so daß praktisch nichts übrig blieb als die leeren Räumlichkeiten. Aber an Heisenbergs Institut, das ja in Hechingen, d. h. in der französischen Besatzungszone lag, war einstweilen nicht heranzukommen. Bis es dann schließlich gelang, Personen, Geräte, Apparate und die Familien mit ihrem Hausrat nach Göttingen zu bekommen, kostete es ungezählte mühsame Verhandlungen, Rückschläge, wenn man gerade glaubte, einen Schritt weitergekommen zu sein, und wieder neue Verhandlungen, und es dauerte Monate. Wir, die Familie, lebten in der amerikanischen Zone, und ein Passierschein war fast nicht zu bekommen – besonders für Atomforscher, die, wie Heisenberg einmal etwas bitter in einem Brief schrieb: »als besonders gefährliche Menschen zu gelten scheinen«. Blount und seine Gruppe halfen, wo sie konnten. Aber gegen die Beschlüsse des Kontrollrats und die komplizierten Zustände waren auch sie machtlos.

Dies alles und der schlechte Gesundheitszustand, in den Heisenberg durch die Hungerzeit geriet, an die sich sein Körper nach den »fetten Tagen der Gefangenschaft« nur schwer gewöhnen konnte, brachten ihn an den Rand seiner körperlichen und psychischen Kräfte. Am Pfingstsonntag 1946 schrieb er mir: »Ja, mit mir ist's nichts so rechtes ... Was eigentlich ist, weiß ich nicht; ich bin sicher völlig gesund, aber immer müde bis zur Erschöpfung ... Aber es ist nicht alleine der Hunger. Ich bin diesem dauernden Herumorganisieren mit den vielen Enttäuschungen nicht mehr recht gewachsen. Es wäre so wichtig, menschlich nicht immer ganz alleine zu sein, aber einstweilen ist Göttingen für mich völlig tot.« So schwer hatte er sich den Anfang nicht gedacht, als er ein Jahr vorher Urfeld verließ in der Hoffnung, daß nun ein neues Leben beginnen würde.

Als ich diesen Brief bekommen hatte, beschloß ich, zu ihm nach Göttingen zu fahren – koste es, was es wolle. Zum Glück war in dem Chaos des Kriegsendes ein sehr tüchtiges und zuverlässiges junges Mädchen in mein Haus gekommen, der ich die Kinder für einige Zeit anvertrauen konnte. So machte ich mich also auf den Weg. Auch diese Reise war noch lang und mühsam und aufregend dazu, da ich keinen gültigen Passierschein hatte. Aber ich hatte Glück und kam durch, und morgens um 4 Uhr kam ich in Göttingen an, übernächtigt und frierend. – Mit meinem Rucksack beladen ging ich durch die schlafenden Straßen der hübschen kleinen Stadt hinüber zur AVA. Am fest verschlossenen Tor klingelte ich, und ein verschlafener Pförtner schaute zum Fenster hinaus und fragte ungehalten, was es gäbe. Ich sei die Frau von Professor Heisenberg, sagte ich, ich wollte gerne hinein und zu ihm. Ja, ob ich denn überhaupt einen englischen Passierschein für die AVA hätte, fragte er zurück. Den hatte ich natürlich nicht, Heisenberg wußte nicht einmal, daß ich kam. Aber ein paar Minuten später stand er vor mir. Ich durfte auch jetzt noch nicht hinein, aber er kam heraus, nahm mich in seine Arme, und dann gingen wir hinauf in den Hainberg. Es war ein klarer Frühsommermorgen. Die Vögel sangen ihre Liebeslieder, der Wald stand in zartem Grün, die Luft war frisch und rein. Alle Müdigkeit und Kälte der Nacht war weggeblasen. Am Kerştingröder Feld kannte Heisenberg eine Bank – dahin gingen wir. Sie war überrankt von einem wilden Rosenbusch, der übersät war mit unzählbaren rosa Blüten. In diese Blumenlaube setzten wir uns und sahen die Sonne über Herberhausen aufsteigen und den kleinen Ort mit Kaskaden von Licht überschütten. Wir saßen ganz still, um die Kostbarkeit dieser Minuten ganz in uns aufzunehmen. Ein neues Leben lag nun vor uns; es war, als sei alle Düsternis überwunden – der Glanz um uns erschien uns wie eine Verheißung.

Nun – so rosenrot wie dieser Morgen war dann allerdings das Leben, das jetzt begann, doch nicht. Es dauerte nochmal mehrere Monate, bis wir, zusammen mit dem ganzen Institut aus Hechingen, nach Göttingen übersiedeln konnten. Aber dort, langsam mehr und mehr, stabilisierte sich unser Leben. Mit den materiellen Schwierigkeiten war fertigzuwerden; die Carepakete, die uns freundliche Menschen aus der ganzen Welt schickten, waren eine herrliche Hilfe. Und eines war eben entscheidend anders als vorher: Es gab wieder Zukunft und Hoffnung, und Heisenberg konnte wieder Wissenschaft treiben, so wie er wollte, und davon war er ganz beflügelt.

Karl Wirtz hatte in dem neuen Institut den Aufbau der Werkstatt und der experimentellen Abteilung übernommen. Für die Astrophysik konnte 1947 Professor Biermann aus Hamburg gewonnen werden, und für die Theorie waren C. F. von Weizsäcker und Heisenberg verantwortlich. Das Hauptthema der Forschung zu dieser Zeit war die Höhenstrahlung – ein unverfängliches Thema, aber mit faszinierenden Möglichkeiten. Reimar Lüst war aus amerikanischer Gefangenschaft zurückgekommen, und das Institut füllte sich zusehends mit interessanten und eifrigen jungen Leuten. Houtermans, Haxel, Koppe, Häfele, Schlüter und viele andere – eine hochbegabte und interessierte neue Generation trat an. Die meisten hatten bereits viel hinter sich, waren ausgehungert nach sachlicher, intensiver Wissenschaftsarbeit und steckten nun voller Ideen und Unternehmungslust. Im Mittelmeer ließ eine Gruppe unter der Leitung von Lüst von einem gecharterten italienischen Kanonenboot aus Ballone aufsteigen, um Bilder von Höhenstrahlen einfangen zu können. Selbst bis in die Sahara dehnten sich diese abenteuerlichen Expeditionen aus. Zuhause, in Göttingen, wurden dann die Ergebnisse ausgewertet. So war, wenige Jahre nach dem Kriegsende, aus den leeren Räumen der AVA ein blühendes Institut hervorgewachsen, das kaum die Menschen mit ihren wissenschaftlichen Aktivitäten fassen konnte, die sich hier zusammengefunden und ausgebreitet hatten. Die Feste, die in diesen Jahren im Institut gefeiert wurden, sprachen eine beredte Sprache von freier, fröhlicher Gemeinsamkeit, von Lebensfreude, unerschöpflichem Einfallsreichtum und von einer demokratischen Grundstimmung, in der Witz und Laune auch ernsthafte Kritik enthalten durften. – Ein paar Jahre später kam dann auch Hans Peter Dürr aus Amerika zurück, und zusammen mit ihm entfaltete Heisenberg nochmal eine höchst intensive wissenschaftliche Aktivität.

Auch in der Familie konsolidierten sich die Zustände mehr und mehr. Wir hatten ein hübsches Haus nahe am Wald, in einem schönen Garten gelegen. Dort gedieh nun ein munteres Leben. Gemeinsame Ausflüge mit den Freunden in die liebliche Umgebung von Göttingen wurden an den Sonntagen oft zu großen Unternehmungen. Gemeinsame Feste waren Höhepunkte. Auch einen Zauberer hatten wir einmal ausfindig machen können, der einen Nachmittag lang in unserem Haus 50 Kinder verzauberte. Theater mit dem genialen Regisseur Heinz Hilpert und die Konzerte unter Lehmann hatten höchsten Rang. Aber vor allem anderen beglückte uns die Hausmusik mit befreundeten Musikern und Laien; allmählich konnten auch die Kinder mittun. Und so kam es, wie wir es auf der Bank über Herberhausen als Vision gesehen hatten: Es wurde eine glückliche Zeit für uns, für Heisenberg insbesondere, so daß er kurz vor seinem Tode sagen konnte: »Diese Göttinger Zeit – das war die glücklichste Zeit meines Lebens.«

Natürlich gab es auch in dieser Zeit Enttäuschungen, Rückschläge und Bitternisse. In der Politik hatte Heisenberg keine wirklich glückliche Hand. Er hatte sich vorgenommen, seine politischen Vorstellungen, die er so lange mit sich herumgetragen hatte, zu verwirklichen. Seine Ideen hatten ganz konkrete Gestalt angenommen. Er stellte sich vor, es solle ein Gremium von 24 ausgesuchten, verantwortungsbewußten Wissenschaftlern gebildet werden, das der Regierung als Forschungsrat beigegeben würde, um ihr beratend und auch kritisch zur Seite zu stehen. Er meinte, Wissenschaftler und Politiker seien von ihrer Struktur her entgegengesetzte Menschentypen, die sich nun in der politischen Praxis fruchtbar ergänzen sollten. Der Politiker sei ein aktiver, handelnder und entscheidungsfreudiger Mensch, während der Wissenschaftler eher durch sein hoch geschultes Denkvermögen und seine kritische Urteilsfähigkeit zu charakterisieren sei; auch sei er vielleicht kreativer als der Politiker und nicht so sehr dem Institutionellen verhaftet. Heisenberg schreibt darüber in seinem Buch: »Natürlich wird man nicht annehmen können, daß die Physiker und Techniker wichtige politische Entscheidungen besser fällen können als die Politiker. Aber sie haben in ihrer wissenschaftlichen Arbeit gelernt, objektiv, sachlich, und was noch wichtiger ist, in großen Zusammenhängen zu denken. Sie mögen also in die Arbeit der Politiker ein konstruktives Element von logischer Präzision, von Weitblick und von sachlicher Unbestechlichkeit bringen, das dieser Arbeit förderlich sein könnte.« Heisenberg war davon überzeugt, daß die moderne Zeit, die mit der Atombombe begonnen hat, nicht mehr ohne den weitblickenden Fachmann auskommen könne. Auch darüber schreibt er in seinem Buch: »Mir war das Eindringen des wissenschaftlichen, insbesondere des naturwissenschaftlichen Denkens in die Regierungsarbeit wichtig. Denen, die bei uns die Verantwortung für das Funktionieren des Staatswesens übernehmen, müßte, so glaubte ich, immer wieder ins Bewußtsein gebracht werden, daß es sich nicht nur um den Ausgleich widerstreitender Interessen handele, sondern daß es oft sachlich bedingte Notwendigkeiten gibt, die in der Struktur der modernen Welt begründet sind und bei denen ein irrationales Ausweichen in gefühlsbestimmtes Denken nur zu Katastrophen führen könne.«

Heisenbergs Hoffnung war es, daß mit einer solchen Symbiose zwischen Wissenschaftlern und Politikern ein dem deutschen Volke nicht gerade geläufiges pragmatisches Denken gelehrt und damit erneuten extremen Entwicklungen vorgebeugt werden könnte. Um das zu verwirklichen, setzte er alle seine Kräfte ein, die neben seiner eigenen Arbeit noch freizumachen waren. Sein Hauptmitstreiter in dieser Sache war der Göttinger Physiologe Professor Rein.

Zuerst sah alles recht gut aus, und am 9. März 1949 wurde der Forschungsrat gegründet, dessen Vorsitz Heisenberg übernahm. Aber langsam zeigte es sich, daß doch sehr viel größere Widerstände am Werke waren, als er geglaubt hatte. Allein ein solches Gremium von Wissenschaftlern zusammenzustellen – schon dies stieß auf Verärgerung und Ablehnung. Und die Beamtenschaft der Ministerien empfand die Einmischung und Einflußnahme der nicht praxisbezogenen Professoren als unannehmbar und boykottierte den Plan. Überhaupt gewannen mit der Zeit in der gesamten Politik die restaurierenden Bestrebungen immer stärker an Boden. Man wollte keine Experimente, keine Risiken, von denen man nicht wußte, wohin sie führten – davon hatte man genug erlebt. An die Zeit vor dem Naziregime anzuknüpfen erschien vielen sicherer und auch einfacher; und so setzte sich allmählich doch die Meinung durch, es sei besser, Politik und Wissenschaft wieder säuberlich voneinander zu trennen.

Gegen so viel Widerstand konnte Heisenberg sich nicht durchsetzen. Mit dem Aufbau des Instituts und der intensiven Entwicklung, die dort stattfand, hatte er schon ein gerütteltes Maß an Arbeit. Außerdem hatten in dieser Zeit seine eigenen neuen wissenschaftlichen Ideen einer »einheitlichen Feldtheorie« zum erstenmal greifbare Züge angenommen, so daß an dieser Stelle viele seiner Energien gefesselt waren. Er hatte eigentlich gar nicht die Zeit und die Kraft, sich wirklich erfolgreich gegen die so starken Kräfte, die sich nun gegen seine Intentionen formierten, durchzusetzen. Außerdem war ihm jede Taktik fremd. Weizsäcker formulierte es einmal so: »Das Argument, daß sich – wie in der Wissenschaft – stets das bessere Argument durchsetzt und nicht die Taktik, machte ihn in der politischen Auseinandersetzung zum Unterlegenen.« So kam es, daß schließlich der »Forschungsrat« aufgelöst und statt dessen die »Forschungsgemeinschaft« gegründet wurde, die sich nach dem Muster der alten Notgemeinschaft der 20er Jahre nun wieder ganz und ausschließlich den Belangen der Wissenschaft zuwandte. Zwar war es auch jetzt noch in den Statuten der Forschungsgemeinschaft verankert, daß sie der Regierung beratend zur Seite stehen sollte – das hatte Heisenberg noch durchsetzen können –, aber die Praxis sah dann anders aus, und man übernahm in Wirklichkeit die alten Formen der absoluten Trennung der beiden großen Kräfte, und ihre enge Fusion, von der Heisenberg sich erhofft hatte, sie könnte die deutsche Politik in ein humaneres und sachlicheres Klima lenken, konnte sich nicht durchsetzen. Nicht nur für die Politik bedauerte er diese Entwicklung, er hielt sie auch für die Wissenschaft für gefährlich. Er schreibt darüber: »Ich erklärte X. meine Befürchtungen, daß die von ihm befürwortete Notgemeinschaft wieder einem Denken Vorschub leisten könnte, das sich gegen die harte wirkliche Welt in einem Elfenbeinturm abschließt und liebgewordenen Träumen nachhängt.« Das durfte nicht passieren! – Etwa zehn Jahre später erforderten es die Umstände, daß in Bonn doch eine Konstruktion gemacht wurde, die wenigstens zum Teil Heisenbergs Ideen verwirklichte. Mit der Gründung des Forschungsministeriums war eine Institution geschaffen worden, die durch Beratungsgremien ein Verbindungsglied zwischen Politik und Wissenschaft darstellte.

Heisenberg hatte für die Verwirklichung seiner Ideen lange und verbissen gekämpft, so daß man ihm bereits Eigensinn und Uneinsichtigkeit vorwarf. Schließlich aber hatte er nachgeben müssen. Er war sehr enttäuscht darüber, denn dieses politische Engagement, das er mit so viel Verantwortungsbewußtsein auf sich genommen hatte, war ein gewichtiger Grund dafür gewesen, es auf sich zu nehmen, in Deutschland zu bleiben und immer wieder alle Angebote des Auslands abzulehnen. Es hatte ihn hart getroffen.

Trotz dieses empfindlichen Mißerfolges zog er sich nicht aus dem öffentlichen Leben zurück. Er war auch weiterhin in vielen wissenschaftspolitischen Aktivitäten tätig. Sein stärkstes politisches Interesse galt nun der Mitbegründung (1954) und dem Aufbau des großen internationalen Forschungslaboratoriums in Genf, genannt CERN. Er wurde der Hauptvertreter für Deutschland in dieser sehr schwierigen Anfangsphase, in der es galt, den internationalen Charakter dieser großen Forschungsanstalt zu konstituieren und dabei gleichzeitig mit Takt und Sicherheit die deutschen Interessen zu wahren. Das war oft keine einfache Aufgabe.

Nachdem das Institut betriebsfähig war, fragte man ihn, ob er bereit sei, für fünf Jahre die wissenschaftliche Leitung von CERN zu übernehmen. Er schwankte lange. Die internationale Arbeit lockte ihn sehr. Auch der Gedanke, daß unsere Kinder in dem internationalen Rahmen einer so großen Institution aufwachsen würden, war für uns beide ein verlockender Gedanke, der schwer ins Gewicht fiel. Schließlich lehnte er aber doch ab. Es gab innerhalb von Deutschland noch zu viele Aufgaben. Zu helfen, den internationalen Standard in der Physik nach Jahrzehnten der Isolierung wiederherzustellen, war für ihn immer noch eine der großen Herausforderungen, denen er sich verschrieben hatte. Wenn er aber für fünf Jahre nach Genf ginge, könnte er dafür nur noch wenig tun. Außerdem – und vielleicht gab das den Ausschlag – galt eben doch sein größtes Interesse seinen eigenen wissenschaftlichen Arbeiten und Ideen, und er war in seiner »allgemeinen Feldtheorie«, wie sie später hieß, mit höchst komplizierten und schwierigen Problemen konfrontiert und wußte, daß er durch die Arbeit bei CERN keine Zeit mehr dafür haben würde. So ehrenvoll diese Anfrage war, und so sehr ihn die Aufgabe lockte – er konnte sie nicht übernehmen.

Seine Entscheidung, nicht nach Genf zu gehen, brachte Heisenberg nicht den Freiheitsraum für seine eigenen Arbeiten, den er sich wohl gewünscht hatte. Es gab zu viele Aufgaben, die er glaubte, nicht ablehnen zu dürfen. Sein eigenes Institut war inzwischen zu stattlicher Größe herangewachsen, und es gab niemanden, der ihn wirklich hätte ersetzen können. Er wurde gebraucht in der Max-Planck-Gesellschaft, im Senat und als Ratgeber, mit dem Hahn seine Probleme besprechen konnte, er übernahm die Präsidentschaft der Göttinger Akademie, als diese ihr 300jähriges Jubiläum feierte und damit die Kontinuität des wissenschaftlichen Lebens des westlichen Deutschlands zu repräsentieren hatte, er

26 Heisenberg etwa 1955

27 Niels Bohr, Werner Heisenberg und Paul Dirac während der Tagung
der Nobelpreisträger in Lindau (1962) (oben)

28 Carl Friedrich von Weizsäcker und Heisenberg auf einer Tagung der
Max-Planck-Gesellschaft (etwa 1970) (unten)

29 Werner und Elisabeth Heisenberg während einer Tagung der
Alexander von Humboldt-Stiftung (etwa 1972) (oben)
30 Heisenberg unter seinen Humboldt-Stipendiaten (unten)

31 Die ›internationale Familie der Physiker‹ bei der Gedenkfeier für Niels Bohr 1963 in Kopenhagen

Von den im Buch erwähnten Wissenschaftlern befindet sich in der 1. Reihe auf Platz 2 Prof. Felix Bloch, der als junger Wissenschaftler Assistent bei Heisenberg war und dann emigrieren mußte. Neben ihm sitzt Prof. Fritz Hund. Der 8. ist Prof. Victor Weißkopf, daneben Prof. Aage Bohr, der das Institut des Vaters nach dessen Tod übernahm. Neben Bohr Prof. Paul Dirac, mit dem Heisenberg 1927 um die Welt reiste. Auf Platz 13 Heisenberg, neben ihm Prof. Blackett, der mit Heisenberg während der Gefangenschaft in England Kontakt aufnahm. Daneben der Mathematiker Courant, auch ein Emigrant aus Göttingen, der das berühmte Courant-Institut in New York gründete. In der 2. Reihe auf Platz 9 Prof. Goudsmit, auf Platz 11 Prof. Wergeland, der einzige Überlebende des Freundestrios Grönblohm, Euler, Wergeland. In der 3. Reihe auf Platz 3 Dr. Böggild, den Heisenberg aus deutscher Gefangenschaft holte. Auf Platz 11 Prof. C. F. v. Weizsäcker, neben ihm Prof. John Wheeler. In der Mitte der 4. Reihe steht Prof. Rozental, mit dem ich korrespondierte. Über ihm in der 5. Reihe Prof. Casimir, der lange Zeit Direktor der Philips AG war. Von den übrigen zählten noch viele, die ich hier aber nicht aufzählen kann, zu Heisenbergs wissenschaftlichen Freunden.

war im Wissenschaftsrat leitend tätig; immer wieder hatte er Deutschland bei internationalen Wissenschaftskonferenzen zu vertreten, und 1953 war ihm die Präsidentschaft der Alexander von Humboldt-Stiftung angetragen worden, die es neu aufzubauen und zu gestalten galt. An keiner dieser Stellen begnügte er sich mit reiner Repräsentanz. Immer übernahm er die Aufgaben mit seiner ganzen Intensität. Daß er so viele Funktionen übernehmen mußte, hatte einen einfachen Grund: Es mangelte überall an profilierten Persönlichkeiten. Die Kahlschläge in allen Sparten unseres Lebens, durch Terror, Mord, Vertreibung, Krieg – überall machten sie sich verheerend bemerkbar. Es mußte erst noch eine neue Generation heranwachsen, bis es möglich wurde, die vielen Aufgaben abzugeben. Das begann erst später, als Heisenberg mit seinem Institut nach München gezogen war.

IX. Kapitel

Unter der Verantwortung

Der Abwurf der Atombombe über Hiroshima erschien Heisenberg immer als der Beginn eines neuen Zeitalters, das nun für alle Zeiten unauflösbar überschattet sein würde von der schrecklichen Möglichkeit einer Atombombenexplosion, die unvorstellbares Elend über Millionen von Menschen bringen würde. Natürlich war es ihm ein schmerzender Gedanke, daß das, was die Physiker in den 20er Jahren – und auch er selbst – so hochgemut begonnen hatten – nämlich in die Geheimnisse der kleinsten Teile der Materie einzudringen und damit ihren Aufbau verstehen zu lernen –, daß dies zu einer so grauenvollen Vernichtungswaffe von noch nie dagewesenen Ausmaßen geführt hatte. Waren sie dadurch schuldig geworden? War Wissenschaft schuldvoll? In seinem Buch ›Der Teil und das Ganze‹ widmet er ein ganzes Kapitel dieser Frage der Verantwortung des Forschers. Er schildert darin den Spaziergang mit Carl Friedrich von Weizsäcker um die große Wiese in Farm-Hall am Morgen nach dem Abwurf der Bombe, bei dem sie sich über die Frage der Schuld und der Verantwortung aussprachen, die der Forscher für solch eine Entwicklung trägt. Es sollen hier einige der zentralen Gedanken, die dabei geäußert wurden, zitiert werden: »Diese Entwicklung [nämlich die moderne Naturwissenschaft, d. V.] ist ein Lebensprozeß, zu dem sich die Menschheit, oder wenigstens die europäische Menschheit, schon vor Jahrhunderten entschlossen hat ... Wir wissen aus Erfahrung, daß dieser Prozeß zum Guten und

Schlechten führen kann. Aber wir waren überzeugt – und das war insbesondere der Fortschrittsglaube des 19. Jahrhunderts –, daß mit wachsender Kenntnis das Gute überwiegen werde, und daß man die möglichen schlechten Folgen in der Gewalt behalten könne. An die Möglichkeit von Atombomben hat vor der Hahnschen Entdeckung weder Hahn noch irgendein anderer von uns ernstlich denken können, da die damalige Physik keinen Weg dahin sichtbar machte. An diesem Lebensprozeß der Entwicklung der Wissenschaft teilzunehmen, kann nicht als Schuld angesehen werden.«

Das also war Heisenbergs Überzeugung, und in den Gesprächen, die wir häufig über diese Frage zusammen führten, trat immer wieder der Gedanke in den Vordergrund, daß eben jede neue Erkenntnis die Welt verändert zum Guten wie zum Schlechten, und es sei im Grunde jede Erkenntnis auch gleichzeitig eine Herausforderung an das ethische Gewissen der Menschheit, insbesondere an die Politiker, die so weitgehend die Geschicke der Völker leiten. Heisenberg fährt dann etwas später fort und läßt Weizsäcker noch einmal die Frage der Verantwortung aufnehmen:

»Man wird hier wohl einen grundsätzlichen Unterschied machen müssen«, läßt er Weizsäcker sagen, »zwischen dem Entdecker und dem Erfinder. Der Entdecker kann in der Regel vor der Entdeckung nichts über die Anwendungsmöglichkeiten wissen, und auch nachher kann der Weg bis zur praktischen Ausnützung noch so weit sein, daß Voraussagen unmöglich sind ... Aber bei den Erfindern ist es in der Regel anders. Der Erfinder ... hat ja ein bestimmtes praktisches Ziel vor Augen. Er muß überzeugt sein, daß die Erreichung dieses Zieles einen Wert darstellt, und man wird ihn mit Recht mit der Verantwortung dafür belasten.«

Hier also wird nochmal ganz deutlich gesagt: Erkenntnis, d. h. Erweiterung des Wissens – das kann nicht schuldhaft sein, aber Erfindung, d. h. auf ein Ziel gerichtete Entwicklung – sie steht in der Verantwortung der Forscher, der Politiker, ja der ethischen Qualität der menschlichen Gesellschaft schlechthin. Das Furchtbare an der Atombombe liegt klar auf der Hand; aber Heisenberg glaubte auch, daß in ihr eine gewisse Chance läge, die Chance, daß die Menschen durch sie aufgerüttelt, unser Gewissen geschärft und unser Verantwortungsgefühl sensibilisiert würden, daß die Atombombe vielleicht einen neuen schrecklichen Krieg von Weltkriegcharakter verhindern könnte. Das war die Hoffnung, die ich ihn so oft habe aussprechen hören; das war die Herausforderung an das menschliche Gewissen. Aber in zunehmendem Maße wurde Heisenberg auch von der Vorstellung gequält, daß die wissenschaftlichen Erkenntnisse und die sich auftuenden Möglichkeiten zu schnell voranschreiten und das ethische Verantwortungsgefühl nicht in demselben Maße wachse, wie es eigentlich nötig wäre.

Heisenbergs politische Gedanken paßten überhaupt nicht recht in irgendein politisches Schema. »Weißt Du«, sagte er gelegentlich zu mir, »die Politik geht immer im Zick-Zack, mal so, mal so. Geht man selbst aber unbeirrt gerade seinen Weg weiter, so liegt man halt selten wirklich ›richtig‹, ich meine, nur selten werden sich dann die eigenen Anschauungen decken mit den offiziellen Lehrmeinungen, die gerade ›dran‹ sind.« Das war nicht ganz ohne Bitterkeit. Heisenberg war der Meinung, daß Deutschland jetzt ganz und gar jede Politik zur Erlangung einer Machtstellung – sei sie wirtschaftlich oder militärisch – in Europa oder gar in der Welt aufgeben sollte. Auch in der Politik sollte sich Deutschland möglichst zurückhalten. Er exemplifizierte dabei auf die skandinavischen Länder und auf die Schweiz, die in ihrer Bescheidung den Krieg so viele Jahrhunderte aus ihren Ländern ferngehalten hatten und in denen es sich so glücklich leben ließ – das hatte er in Dänemark erfahren.

Ebenso aber sollte man sich auch großer Friedensdeklarationen enthalten – davon hielt er nichts. »Es ist klar«, so sagte er gelegentlich, »daß die Friedenssehnsucht der Menschen von den Politikern immer wieder für ihre eigenen Zwecke mißbraucht wird. Aber wir sollten alle Anstrengungen machen, um die Menschen für den Frieden zu erziehen. Man muß sie von Anfang an lehren, auch dann auf etwas zu verzichten, wenn sie fest davon überzeugt sind, das Recht auf ihrer Seite zu haben. Alle großen Konflikte«, so sagte er, »entstehen da, wo jeder der Kontrahenten glaubt, das Recht sei auf seiner Seite. Friedliche Lösungen von Konflikten können aber erst dann in den Bereich des Möglichen kommen, wenn man lernt, auch vom anderen her zu denken, einzusehen, daß auch die Ansprüche des anderen – von seiner Auffassung her – rechtens sind. Dieses zu sehen und in sich aufzunehmen, dieses Recht des anderen auch zu akzeptieren, ist die Voraussetzung dafür, einen Ausgleich der Interessen anstreben und sogar auf eigene Rechte um des Friedens willen verzichten zu können. Das ist der Anfang«, so meinte er.

Aus dieser Haltung heraus war es für Heisenberg ein großer Schock, als er erfuhr, daß die Bundeswehr mit atomaren Sprengkörpern bewaffnet werden solle. Dies schien ihm anzuzeigen, daß die Entwicklung nun wieder in eine falsche Richtung ginge. Das anfängliche Entsetzen der Menschen vor der Atombombe und ihrer furchtbaren Wirkung war mit der Zeit einer gewissen Lässigkeit gewichen, und es gab gewisse Tendenzen, die Wirkung der Atombombe zu verharmlosen, so als könne man sich in Bunkern oder Kellern vor ihrer tödlichen Gewalt schützen. Adenauer – so hatte man den Eindruck – nährte diese Kopf-in-den-Sand-Politik, denn er meinte, man könne diese Forderung der NATO im Interesse der deutschen Verteidigung nicht abschlagen. Aber die verantwortlichen deutschen Atomphysiker, die in der »Atomkommission« zusammengefaßt waren und deren Vorsitzender Heisenberg war, erkannten das hohe Risiko, das eine solche Politik in sich barg, denn im Falle einer Auseinandersetzung zwischen den Großmächten – es war die Zeit des »kalten Krieges« zwischen Amerika und Rußland – würde Deutschland dann zweifellos das erste Ziel der feindlichen Atombomben sein. Das aber erschien ihnen allen als ein zu hohes Risiko, und sie fühlten, daß sie nun plötzlich wieder in politische Verantwortung gestellt waren. Weizsäcker hatte als erster seiner Besorgnis Ausdruck gegeben. Heisenberg nahm seine Besorgnis auf. Mit einem Schreiben wandte sich nun die Atomkommission an die Regierung – aber sie traf auf taube Ohren. Die Physiker gaben nicht nach, und bald wurden die Diskussionen über diese Frage von beiden Seiten mit großer Heftigkeit geführt. Auf der Seite der Politiker waren es Adenauer und Franz Josef Strauß, der damalige Verteidigungsminister; und auf der Seite der Physiker waren die Wortführer vorwiegend Heisenberg, Hahn, Weizsäcker und Gerlach.

Mitten in diesen sich über Wochen hinziehenden Auseinandersetzungen erkrankte Heisenberg schwer, und Weizsäcker übernahm nun die Wortführung in diesen Gesprächen. Als es sich zeigte, daß Adenauer trotz aller Einwände der Wissenschaftler nicht bereit war, seine Pläne zu revidieren, beschloß man, sich an die Öffentlichkeit zu wenden. Am Krankenbett arbeiteten Weizsäcker und Heisenberg ein Manifest aus, das gegen die Bewaffnung der deutschen Bundeswehr mit Atomsprengköpfen gerichtet war. Das Manifest wurde von 18 führenden deutschen Physikern unterschrieben und erschien am 13. April 1957 in den deutschen Zeitungen. Es löste ein weltweites Echo aus. – Dieses Manifest war, genau besehen, die konsequente Weiterführung der Haltung, die die verantwortungsbewußten Physiker auch während des Krieges eingehalten hatten; damals war sie aus dem Widerstand gegen eine unmoralische, verbrecherische Regierung entstanden, jetzt war es die Haltung der akzeptierten Machtlosigkeit, die bestrebt ist, politische Probleme nicht durch Gewalt, sondern durch Verhandlungen und Verständigung zu lösen, gegebenenfalls auch durch notwendige Kompromisse und Verzichte auf eigene Rechte, um des Friedens willen.

Aber mehr als von allem anderen, was er doch mehr als Pflicht auf sich genommen hatte, war Heisenberg in diesen Jahren erfüllt von seiner Wissenschaft. Wenn er an seinen Problemen arbeiten konnte, war er glücklich, und er arbeitete mit höchster Konzentration – bis zur Erschöpfung, wenn sich das Detail, über das er nachdachte, nicht entwirren lassen wollte. Immer wieder war er erfüllt von den Ergebnissen, die ihm Tore zu öffnen schienen zu neuer Erkenntnis. In einer Mondnacht, ganz ergriffen von den Gesichten, die er hatte, lief er mit mir durch den Göttinger Hainberg und versuchte mir seine neuen Erkenntnisse zu erklären. Er sprach von dem Wunder der Symmetrie als dem Urmuster der Schöpfung, von Harmonien, von der Schönheit der Einfachheit und ihrer inneren Wahrheit. Es war eine Sternstunde.

Noch deutlicher tritt seine Ergriffenheit in einem Brief zutage, den er im Januar 1958 an meine Schwester, Edith Kuby, schrieb: »Liebe Edith! Ich finde es reizend von Dir, daß Du mir einen Strauß der herrlichsten Nelken hast schicken lassen. So fügt sich zu dem Glück am Gelingen der Arbeit noch die Freude darüber, daß andere mit ihrem Gefühl teilnehmen können an dem, was hier zunächst verborgen in einem wissenschaftlichen Winkel entsteht. Die letzten Wochen waren für mich tatsächlich voll von Aufregung; und ich kann das, was ich dabei selbst erlebt habe, vielleicht am ehesten durch das Bild deutlich machen, daß ich die letzten fünf Jahre über mit großer Anstrengung einen sonst noch

unbekannten Anstieg zu dem zentralen Gipfel der Atomtheorie versucht habe. Und jetzt, in der unmittelbaren Nähe
des Gipfels, liegt auf einmal das ganze Land der atomtheore-
tischen Zusammenhänge klar unter meinen Augen ausgebreitet. Daß diese Zusammenhänge bei aller mathematischen Abstraktion einen ganz unglaublichen Grad von Einfachheit aufweisen, wie es auch Plato sich nicht schöner hätte träumen lassen, ist dabei ein Geschenk, das man eben nur
hinnehmen kann. Denn solche Zusammenhänge kann man
nicht erfinden, die sind vom Anfang der Welt an dagewe-
sen. – Natürlich ist noch viel Einzelarbeit zu bewältigen;
aber dabei werden nun viele andere mithelfen und das ist gut
so, da ja auch die eigenen Kräfte nicht unerschöpflich sind.«

Ich muß meiner Schwester damals wohl geschrieben haben, daß Heisenberg so schönen und erregenden Dingen auf
der Spur sei, denn noch ist Heisenbergs Brief zwar voller
Freude und Optimismus, aber auch ganz gelöst und ruhig;
erst später brach der Sturm los durch die Indiskretion eines
Journalisten, der an dem Universitätskolloquium, in dem
Heisenberg über seine Arbeit auf Wunsch von Fritz Hund
berichtete, ohne Heisenbergs Wissen teilgenommen hatte.
Am nächsten Tag erschien dann ein sensationeller Artikel,
in dem von der »Weltformel« die Rede war, die nun den
Schlüssel böte für alle noch offenen Probleme der Physik.
Dies ging durch alle großen und kleinen Zeitungen im Inland wie im Ausland und löste einen großen Trubel aus.
Heisenberg meinte zuerst, er könne diesen ganzen Rummel
einfach ignorieren, aber das war ein Irrtum, der die vielen
traurigen Mißverständnisse zur Folge hatte bei seinen in-
und ausländischen Kollegen, die glaubten, Heisenberg iden-
tifiziere sich mit diesen Zeitungsnachrichten. In einem Brief
an Pauli klagt er darüber: »In den letzten Tagen gab es hier
viel Ärger mit den Zeitungen. Ich hatte schon ein paar Mal
in unserem Institut über unsere Arbeit vorgetragen; dabei

war nichts passiert. Dann hatte Hund mich gebeten, auch im offizielleren Universitätskolloquium darüber zu reden. Dazu kamen furchtbar viele Leute und, ohne mein Wissen, offenbar auch Journalisten. Von denen wurde ein haarsträubender Unsinn publiziert im Stile von ›das Ende der Physik‹ etc. Dann kamen Hunderte von Anrufen, und ich habe schließlich meiner Sekretärin ein paar Sätze diktiert, die sie als meine Ansicht sagen durfte, von denen war der wichtigste, daß unsere Arbeit ›neue Vorschläge für eine einheitliche Feldtheorie machte, über deren Richtigkeit erst die Forschung der nächsten Jahre entscheiden könne‹. Daraufhin ebbte der Unsinn etwas ab; dann muß aber Landau in Moskau Öl in die Flammen der journalistischen Begeisterung gegossen haben. Jedenfalls ging es unter Berufung auf die Moskauer Rede Landaus in verstärktem Maße los, während ich auf der Reise in Genf war. Ich hoffe, Du hast Dich nicht so viel geärgert wie ich! . . .«

Die in dem Brief an meine Schwester anklingende Hoffnung, daß nun auch »andere mithelfen« würden, hat sich nicht erfüllt. Es war Heisenberg unbegreiflich, warum sich die »vielen anderen« nicht bereit fanden, mitzuarbeiten. Tief traf ihn aber die Ablehnung von Pauli, seinem alten Freund und lebenslangen Kritiker, dem er jede seiner neuen Ideen vorzulegen pflegte. Diesmal stieß er auf starke Ablehnung. Und nun begann jener leidenschaftlich geführte Briefwechsel zwischen Heisenberg und Pauli, den man später gerne »die Schlacht von Ascona« nannte. Wir waren damals in Ascona, um dort diese grippöse Encephalitis auszuheilen, die ihn im April 1957 während der politischen Auseinandersetzungen mit Adenauer so plötzlich niedergeworfen hatte. Schwere Schwächezustände und depressive Phasen folgten einander immer noch, aber an Schonung war nicht zu denken. Wochenlang rangen die beiden Freunde in Briefen miteinander; auf jeden Brief folgte möglichst noch am gleichen

32 Bei der Diskussion mit Hans Peter Dürr (oben)
33 In den 70er Jahren (unten)

34 Hans Peter Dürr, der langjährige Mitarbeiter von Heisenberg in München (links oben)

35 Carl Friedrich von Weizsäcker während seiner Göttinger Zeit (rechts oben)

36 Vor dem Urfelder Haus (Aufnahme von Christine Heisenberg-Mann) (unten)

37 Heisenberg in seinem Arbeitszimmer im Münchener Institut

38 Bei seinem Vortrag ›Was ist ein Elementarteilchen?‹ während der Jahrestagung der Physikalischen Gesellschaft (1975) (oben)
39 Bei der Diskussion zu diesem Vortrag (unten)

Tage eine Antwort. Diese Briefe waren scharf und schonungslos. Es war wirklich wie ein Scharmützel, und auf jede Salve folgte von der anderen Seite mit gleicher Kraft eine Gegensalve. – Diese »Schlacht« ging in der ersten Runde für Heisenberg gut aus. Es gelang ihm schließlich, Pauli von seinen Ideen zu überzeugen. Pauli schwenkte um, und in seinen Briefen tauchten jetzt geradezu euphorische Wendungen auf. Zu dieser Zeit fuhren wir nach Zürich. Pauli wollte wenig später nach Berkeley reisen und dort den Sommer über Vorlesungen halten. Heisenberg war erschrocken darüber und riet ihm, doch mit dieser Reise noch zu warten. »Du bist noch nicht tief genug in die neuen Gedankengänge eingedrungen«, sagte er ihm an diesem Abend; »du wirst dem Druck der Amerikaner nicht standhalten können; du hast noch nicht alle notwendigen Argumente parat« – so beschwor er ihn, die Reise doch noch zu verschieben. Pauli fuhr trotzdem, und es kam, wie Heisenberg es vorausgesagt hatte. Wieder folgten nun erbitterte wissenschaftliche Kämpfe. Erst kurz vor Paulis Tod, in Varenna, wurde dieser wissenschaftliche Konflikt beigelegt. »Du magst ja auf Deinem Wege weitergehen«, sagte Pauli zu ihm, »aber ich will damit nichts mehr zu tun haben.« So schieden sie voneinander.

Die Krankheit war ein tiefer Einschnitt in Heisenbergs Leben, eine deutliche Zäsur. Er war an die Grenzen seiner Kräfte gekommen, und er gewann die volle Aktivität niemals mehr ganz zurück. Sein strahlendes Wesen war oft von Müdigkeit und Traurigkeit überschattet, und die Verantwortungen, die er vorher so beherzt auf sich genommen hatte, fingen nun an, ihm zur Bürde zu werden. Dennoch gab ihm die Übersiedlung nach München nochmal einen neuen Aufschwung.

Für die Übersiedlung nach München gab es natürlich vielfältige Gründe. Nicht zuletzt war es – das gab er freimütig zu – sein Wunsch, seine lang aufgestaute Sehnsucht, doch noch in München leben zu können, in München, das er liebte, in dem er sich lebendig und jung fühlte.

Natürlich waren da auch noch gewichtigere Gründe. Das Institut in Göttingen war derart angewachsen, daß die alten Räume der AVA bei weitem nicht mehr ausreichten. Und Göttingen selbst war eine kleine Stadt; auch die Universität wuchs, um der Flut der Studenten Herr zu werden. Es war keine Frage: Göttingen war zu klein für zwei so große und gewichtige Institutionen ähnlicher Art. Sie stießen sich hart im Raum. Im Grunde gehörte die Max-Planck-Gesellschaft nach Berlin; das war immer ihr Sitz gewesen. Aber dahin gab es nun keinen Weg mehr; das wurde von den westlichen Besatzungsmächten nicht erlaubt, und Berlin war wirklich zu exponiert. München jedoch schien keine schlechte Lösung. Es war inzwischen zur Millionenstadt herangewachsen und verteidigte seinen Titel als »die heimliche Hauptstadt« unter anderem damit, Angebote an die Max-Planck-Gesellschaft, insbesondere an Heisenberg zu machen.

Letztlich war aber doch ein drittes Argument ausschlaggebend. In langen Verhandlungen mit den Amerikanern, die weitgehend von Heisenberg geführt wurden, konnte erreicht werden, daß auch in Deutschland wieder an friedlicher Atomtechnik gearbeitet werden durfte. Zuerst wurde lediglich an einen wissenschaftlichen Versuchsreaktor gedacht, und es entstand der Plan, diesen Versuchsreaktor in Garching aufzustellen, damit an ihm in engstem Kontext mit dem Institut gearbeitet werden könne.

Über die Frage, wie weit man an solchen problematischen Entwicklungen sich beteiligen solle, hat Heisenberg viel nachgedacht und auch in ›Der Teil und das Ganze‹ in dem Kapitel über die Verantwortung des Forschers dazu Stellung genommen. Er schreibt: »In der heutigen Welt beruht das Leben der Menschen weitgehend auf dieser Entwicklung der Wissenschaft. Würde man sich schnell von der ständigen Erweiterung der Kenntnisse abwenden, so müßte die Zahl der Menschen auf der Erde in kurzer Zeit radikal reduziert werden. Das aber könnte wohl nur durch Katastrophen geschehen, die denen der Atombombe durchaus vergleichbar oder noch schlimmer wären.« – Die Probleme der friedlichen Nutzung der Kernenergie waren damals noch nicht überschaubar. Heisenberg war davon überzeugt, die friedliche Nutzung der Atomenergie könnte zum Segen der Menschen werden, und er glaubte fest daran, daß die Techniker die dabei auftauchenden Probleme bewältigen könnten. Die Erkenntnis, daß man jetzt überall an die Grenzen des Möglichen stößt, ist ein historischer Prozeß und war zu Heisenbergs Zeit noch nicht deutlich sichtbar. Dennoch hat er bereits 1955 in seinem Buch: ›Das Naturbild der heutigen Physik‹ (Rowohlt Verlag, Hamburg 1955) geschrieben: »Die Hoffnung, daß die Ausbreitung der materiellen und geistigen Macht des Menschen immer ein Fortschritt sei, findet eine wenn auch erst undeutlich sichtbare Grenze, und die Gefahren werden um so größer, je stärker die Welle des vom Fortschrittsglauben getragenen Optimismus gegen diese Grenze brandet. Vielleicht kann man die Art der Gefahr, um die es sich hier handelt, noch durch ein anderes Bild deutlicher machen. Mit der scheinbar unbegrenzten Ausbreitung ihrer materiellen Macht kommt die Menschheit in die Lage eines Kapitäns, dessen Schiff so stark aus Stahl und Eisen gebaut ist, daß die Magnetnadel seines Kompasses nur noch auf die Eisenmasse des Schiffes zeigt, nicht mehr nach Norden. Mit einem solchen Schiff kann man kein Ziel mehr erreichen; es wird nur noch im Kreis fahren und daneben dem Wind und der Strömung ausgeliefert sein ... Aber die Gefahr besteht eigentlich nur, solange der Kapitän nicht weiß, daß sein Kompaß nicht mehr auf die magnetischen Kräfte der Erde reagiert. In dem Augenblick, in dem Klarheit geschaffen ist, kann die Gefahr schon halb als beseitigt gelten. Denn der Kapitän, der nicht im Kreise fahren, sondern ein bekanntes oder unbekanntes Ziel erreichen will, wird Mittel und Wege finden, die Richtung seines Schiffes zu bestimmen. Er mag neue, moderne Kompaßarten in Gebrauch nehmen, die nicht auf die Eisenmasse des Schiffes reagieren, oder er mag sich, wie in alten Zeiten, an den Sternen orientieren. Freilich können wir nicht darüber verfügen, ob die Sterne sichtbar sind oder nicht, und in unserer Zeit sind sie vielleicht nur selten zu sehen. Aber jedenfalls schließt schon das Bewußtsein, daß die Hoffnung des Fortschrittglaubens eine Grenze findet, den Wunsch ein, nicht im Kreise zu fahren, sondern ein Ziel zu erreichen. In dem Maße, in dem Klarheit über diese Grenze erreicht wird, kann sie selbst als der erste Halt gelten, an dem wir uns neu orientieren können.« Und etwas weiter unten schreibt er: »Daraus würde folgen, daß in längeren Zeiträumen die bewußte Hinnahme dieser Grenze zu einer gewissen Stabilisierung führen wird, in der sich die Erkenntnisse und schöpferischen Kräfte der Menschen wieder von selbst um eine gemeinsame Mitte ordnen.«

Der Versuchsreaktor kam nicht nach Garching. Adenauer verfügte – wie er sagte: auf Drängen der Franzosen hin –, daß der Versuchsreaktor der Anfang eines großen Kernforschungszentrums in Karlsruhe werden solle. So wurde also die im Institut unter Karl Wirtz existierende »Reaktorgruppe« abgespalten und nach Karlsruhe verlegt. Heisenberg hatte nun zu entscheiden, ob er mit seinem Institut mit nach Karlsruhe gehen oder ob er sich mit der Abspaltung der Reaktorgruppe einverstanden erklären und nach München ziehen sollte. Die Entscheidung wurde ihm nicht sonderlich schwer. Er hatte zwar im Kriege die Grundlagen des Reaktorbaus mit entwickelt, nun aber ging die Verantwortung an die Experimentalphysiker und die Techniker über – das fand er ganz in Ordnung. So wurde das Karlsruher Forschungszentrum der erste große Ableger, der aus Heisenbergs Institut hervorgegangen ist.

Eine zweite Abspaltung fand zur gleichen Zeit statt. Carl Friedrich von Weizsäcker folgte einem Ruf nach Hamburg an die philosophische Fakultät und kam deshalb auch nicht mit nach München. Heisenberg aber zog mit der Familie am 25. Januar 1958 nach München, und zwei Jahre später fand die offizielle Einweihung des Instituts statt, das sein Jugendfreund Sep Ruf gebaut hatte.

In dem schönen, hellen Institutsgebäude entwickelte sich nochmal eine Zeit fruchtbarer Arbeit an vielen hochaktuellen wissenschaftlichen und technischen Problemen. Heisenberg selbst arbeitete zusammen mit seinem so ausgezeichneten und auch freundschaftlich verbundenen Mitarbeiter Hans-Peter Dürr unbeirrt und mit großer Intensität an seiner »allgemeinen Feldtheorie« weiter. Trotzdem gelang ihm der Durchbruch zu einer allgemeinen Anerkennung und Mitarbeit internationaler Physiker nicht. Der Widerstand, der ihm entgegenschlug, war vielleicht nicht immer nur sachlich motiviert – aber davon soll hier nicht die Rede sein.

Die Arbeit im Institut in München zog immer weitere Kreise. Gruppen gingen von hier zum CERN, um an der großen Maschine zu experimentieren, und aus dem nicht sehr groß angelegten Institut erwuchsen im Laufe der Jahre wieder neue Ableger, neue Institute, die dann in Garching ein selbständiges Leben führten. Die Zeit der Reife und Selbständigkeit der Schüler war gekommen.

Es war eine glückliche Fügung, daß Heisenberg in der Zeit seines Mißerfolges in der deutschen Innenpolitik in den 50er Jahren eine ihm sehr gemäße politische Aufgabe angetragen wurde. Es war die Alexander-von-Humboldt-Stiftung, die er dann 22 Jahre lang, bis zu seinem Lebensende leitete. Er machte diese Stiftung zu einem politischen Werkzeug, das seinen Vorstellungen von der versöhnenden und völkerverbindenden Kraft der Wissenschaft entsprach. Es handelt sich bei dieser Stiftung darum, jungen, hochqualifizierten Wissenschaftlern die Möglichkeit zu geben, in Deutschland die eigenen Studien noch zu vertiefen oder ein Thema zu bearbeiten, das speziell in Deutschland behandelt werden muß. Die Stipendiaten dürfen ihre Familien mitbringen und für ein oder auch zwei Jahre hier bleiben. Dann allerdings – das ist Bedingung – müssen sie in ihr Heimatland zurückkehren. Die Auswahl der Stipendiaten erfolgt allein nach ihrer wissenschaftlichen Qualifikation; und es ist der Stolz der Stiftung, daß Weltanschauung, politische Gesinnung, Religion oder Rasse keinerlei Einfluß auf die Auswahlentscheidungen ausüben. Gerade das macht die Stiftung zu einem so fruchtbaren und interessanten Treffpunkt, so daß gegenseitige Vorurteile und Ressentiments abgebaut werden können. Unter Heisenberg und dem Generalsekretär, Dr. Heinrich Pfeiffer, entwickelte sich in dieser Zeit die Stiftung zu großer Blüte. 5000 Wissenschaftler aus über 80 Nationen wurden mit Forschungsstipendien gefördert. Viele dieser ehemaligen Stipendiaten sind heute in führenden Positionen tätig und sind ihrem Gastlande Deutschland in Freundschaft und Dankbarkeit verbunden.

Auch wenn ein Stipendiat in seine Heimat zurückgekehrt ist, wird die Verbindung von der Stiftung weiterhin aufrechterhalten. Heisenberg hat stets eine besondere Aufgabe darin gesehen, auch dann noch seine Hand helfend und schützend über seine Stipendiaten zu halten. So konnte er sogar in den Fällen, als der südafrikanische Freiheitskämpfer Alexander und einige koreanische Stipendiaten in ihren Heimatländern durch politische Aktivitäten in lebensbedrohende Konflikte mit ihren Regierungen geraten waren, eingreifen und ihnen das Leben retten. Damit knüpfte Heisenberg in gewissem Sinne wieder an seine erste politische Handlung während der Räterevolution in München an. So wie er damals das Leben des »roten« Arbeiters rettete, den er eine Nacht lang zu bewachen hatte, so fühlte er sich auch in seinem späteren Leben stets »seinen« Stipendiaten gegenüber verpflichtet, für die er als Präsident der Stiftung ein Stück Verantwortung mit übernommen hatte. Es war nicht das Entscheidende, ob dieser Stipendiat von »links« oder »rechts« verfolgt wurde, sondern es galt allein dies, daß da ein strebsamer und leidender Mensch in den Mühlen der politischen Konflikte drohte unterzugehen – das war das alleinige Motiv für ihn, mit aller seiner Kraft die Rettung zu versuchen. So wurde die Alexander-von-Humboldt-Stiftung in gewissem Sinne die Erfüllung seines alten Traumes von der »internationalen Familie der Wissenschaftler auf der ganzen Welt«, an die er so lange geglaubt hatte, und die große Resonanz, die er bei den Stipendiaten fand, erfreute ihn.

Schluß

Wenn man Heisenbergs Lebenslauf betrachtet, wird in unübersehbarer Weise deutlich, wie in sich konsequent sein politisches Denken und Handeln war. Alles fügt sich in erstaunlicher Klarheit ineinander, und die Motive seines Handelns liegen offen vor dem Betrachter. Fremden oder auch freundschaftlichen Einflüssen war er nie erlegen; immer handelte er aus eigener Überzeugung und aus seinem Gewissen und seinem Verantwortungsgefühl heraus.

Heisenberg war nicht im eigentlichen Sinne national, wenn man unter »national« diese irrationale Übersteigerung von »Heimat« meint, daß das eigene Land mehr wert sei als andere Länder und höhere Rechte besitze – das meinte er nie. Aber er liebte das Land seiner Kindheit und fühlte sich dahin gehörig und ihm verpflichtet. Und doch fühlte er sich ganz essentiell als Europäer, besonders von der angelsächsischen Welt entscheidend mitgeprägt durch seine glücklichen Jahre in Kopenhagen. In einem seiner ersten Briefe, die ich von ihm nach der Gefangenschaft aus Deutschland, d. h. aus Alswede erhielt, geschrieben am 20. 1. 1946, heißt es: »Im Ganzen geht es mir recht gut, weil ich das Gefühl habe, für die Zukunft zu arbeiten; nicht nur für die unseres kleinen Kreises, sondern für die unserer weiteren kulturellen Gemeinschaft. Ich wäre froh, wenn diese weitere kulturelle Gemeinschaft nicht nur Deutschland, sondern in Zukunft Europa hieße, aber die Politik läuft leider nicht immer so, wie man es sich wünscht. «

Heisenbergs soziales Engagement war in gewisser Weise privatisiert, in dem Sinne, daß derjenige, dem er sich in irgendeiner Weise – und sei es nur durch einen Hilferuf – verbunden fühlte, auch »sein Nächster« war, d. h. der, für den er Verantwortung trug. Dies hatte den großen Vorteil, daß es jeden erreichte, ob dieser sich nun mit der einen oder anderen Seite solidarisiert hatte. Es war deshalb im höchsten Grade human, allein auf den Menschen bezogen. Heisenberg war nicht bereit, eine Seite als Verbrecher zu stempeln und die andere Seite als Helden der Freiheit und Gerechtigkeit anzuerkennen. Er sah stets das Fehlerhafte auf beiden Seiten und fürchtete bei allen gewaltsamen Auseinandersetzungen, es könnte so enden, daß nur das eine Unglück mit dem anderen ausgetauscht, nur auf eine andere Schicht von Menschen verlagert würde.

Die Schwierigkeit bei Heisenberg war, daß er über Politik nicht so nachdachte wie ein Politiker sondern wie ein Naturwissenschaftler. So wie er wissen wollte, wie die Natur funktioniert und wie sie gemacht ist, so wollte er auch wissen, wie Politik gemacht wird und nach welchen Gesetzen sie funktioniert. Er hatte einen unbändigen Wissensdrang zu lernen, welches die Gesetzmäßigkeiten sind, die die Geschicke der Menschen, der Völker leiten, nach denen das Weltgeschehen abläuft. Sein großer Lehrmeister darin war Jacob Burckhardt, und sein Lehrbuch waren Burckhardts ›Weltgeschichtliche Betrachtungen‹. Gerade in den gefahrvollen und bedrückenden Zeiten der Naziherrschaft und des Krieges griff er immer wieder nach diesem Buch, um zu verstehen, was sich da um ihn herum abspielte. Burckhardts so sorgfältig herauskristallisierte Analyse des Weltgeschehens, seine Lehre vom Kreislauf der politischen Formen – Republik – Aristokratie – Monarchie – Demokratie – Diktatur –, insbesondere aber das Kapitel über »die Krisen«, in dem er am Ablauf der großen, weltverändernden Revolutionen des Altertums und anhand der Ereignisse in der Französischen Revolution detailliert aufzeigt, daß das Geschehen in einer solchen Revolution immer gewissen allgemeinen Gesetzmäßigkeiten unterliege, bedeuteten für Heisenberg, daß ein Teil der Ereignisse und der verbrecherischen Entwicklung, die vor seinen Augen ablief und die – so schien es – von niemandem aufgehalten werden konnte, ins Objektive verlagert werden konnte. Die Übereinstimmung von Jacob Burckhardts fast prophetisch anmutender Analyse mit den ihn so bedrängenden Geschehnissen war für ihn ein starker Trost. Sie gab ihm die Möglichkeit, mit dieser Entwicklung der Ereignisse, dem Untergang aller Werte, aller Moral überhaupt, leben zu können.

Sein politischer Wissensdurst war auch der Grund dafür, daß ihn immer die Menschen, die an den Schalthebeln der Politik saßen, außerordentlich interessierten. Hitler und Himmler hat er nie gesehen und hat auch nie versucht, sie zu treffen. Aber es lockten und interessierten ihn Begegnungen mit Männern wie Tito, Franco, Kennedy, de Gaulle, Kissinger, und es machte ihm Freude, sich mit Menschen zu unterhalten, von denen er glaubte, daß sie wirklich etwas von Politik verstünden, wie Adenauer, mit dem er trotz gelegentlich starker Meinungsverschiedenheiten viele freundschaftliche Gespräche geführt hat, oder auch Brandt oder Helmut Schmidt, Marion Dönhoff oder, und vor allen, Carl J. Burckhardt, mit dem ihn in den letzten zehn Jahren seines Lebens eine warme Freundschaft verband.

Und doch war da ein Zug in Heisenbergs politischem Denken, der so vielen ganz unbegreiflich erschien und Anlaß zu vielen Mißverständnissen geworden ist. Heisenberg betrachtete Politik oft wie ein großes Schachspiel, abgelöst von den menschlichen Gefühlen, allein ihren politischen Gesetzmäßigkeiten ausgeliefert. Und so, wie er gewohnt war, ganze Schachspiele in seinem Kopf, ohne Brett, durchzuspielen, versuchte er auch, politische Konstellationen als Gedankenexperimente durchzudenken. Gedankenexperimente waren ihm von seiner Wissenschaft her durchaus vertraut; sie dienten ihm dort zur Wahrheitsfindung. Und in dieser Weise kreiste sein politisches Denken häufig um Gedankenkomplexe wie: Macht – Gewalt – Verbrechen und ähnliches. Manchmal geschah es dann, daß er ziemlich unvermittelt irgendwelche Resultate eines seiner Gedankenexperimente aussprach in einem Kreis, in dem diese Gedanken nur äußerstes Befremden hervorrufen konnten. Damit hat er gelegentlich großes Unheil für sich selbst angestiftet, denn niemand war in der Lage, die Gedankenkette, die zu einer solchen hypothetischen Aussage geführt hatte, auch nur zu ahnen; so kamen die Zuhörer häufig fast zwangsläufig zu falschen Schlüssen. Und diese so abstrakten Spekulationen wurden dann von den anderen, die er unwissentlich gekränkt oder verletzt hatte – aus dem Kontext herausgerissen –, weiterverbreitet und waren Wasser auf die Mühlen derjenigen, die ihm politisch mißtrauten oder gar übelwollten. Und doch würde man wahrscheinlich in der Analyse seiner Gedankengänge jenes Muster wiedererkennen, das stets sein politisches Handeln geleitet hat: in einer Welt voll von Gewalt und Verbrechen den Menschen zu schützen und zu bewahren, den einzelnen Menschen, der den zerstörerischen Mächten der Welt hilflos preisgegeben ist.

Aus dieser Haltung heraus versteht man dann, daß Heisenberg von Umstürzen nichts hielt, noch weniger vom Krieg. Sie brachten unermeßliches Elend über den einzelnen und in den meisten Fällen doch nur eine Verschiebung der Macht oder der Gewalt auf eine andere Schicht von Menschen – aber nicht ihre Aufhebung. Er dachte in großen Räumen und langen Zeiten und geriet damit häufig in Gegensatz zu den Politikern und Wirtschaftlern, die seine Gedanken nicht verstanden. Oft erwies sich allerdings sehr viel später, daß er mit seinen Vorstellungen so ganz Unrecht nicht gehabt hatte, und seine Vorschläge setzten sich in etwas anderer Weise dann doch noch durch.

Heisenberg hat sich durch Rückschläge nie entmutigen lassen und hat sich, seinem Vorsatz getreu, bis an sein Lebensende immer wieder zur Verfügung gestellt, wenn man seinen Rat oder seine Mithilfe brauchte. So ist seine politische Tätigkeit, zwar nicht in der Weise, wie er es sich vorgestellt hatte, aber doch letztlich außerordentlich wirksam geworden, und sein Wort galt überall viel.

Es blieb natürlich nicht aus, daß wir uns gelegentlich fragten, ob die Entscheidung, in Deutschland geblieben zu sein, richtig gewesen ist. Aber so wenig Heisenberg ein unrealistischer Träumer war, so sehr verwehrte er sich Grübeleien über solche unfruchtbaren Betrachtungen. Je älter er wurde, um so mehr mündete sein Lebensgefühl in der Freude, in diesem trotz allem schönen Lande zu leben, und damit hatte er sich dann doch positiv zu seiner Entscheidung gestellt. Deshalb läßt er auch sein Buch mit jener Szene schließen: »Von Holst hatte seine Bratsche geholt, er setzte sich zwischen die beiden jungen Menschen (unsere Söhne Wolfgang und Jochen) und begann, mit ihnen jene von dem jugendlichen Beethoven geschriebene Serenade in D-Dur zu spielen, die von Lebenskraft und Freude überquillt und in der sich das Vertrauen in die zentrale Ordnung überall gegen Kleinmut und Müdigkeit durchsetzt.« – Es waren wohl auch sein eigener Kleinmut und die Müdigkeit der letzten Jahre seines Lebens, in denen er sein Buch ›Der Teil und das Ganze‹ schrieb, die von diesem Vertrauen und von dem, was er in Deutschland liebte, überwunden wurden.

Alles dies, was ich hier über Heisenberg berichtet habe, ist nur ein Segment seiner ganzen, reichen Persönlichkeit. Nichts ist darin von seiner so gewinnenden Freundlichkeit, seiner Geduld, mit der er seinem Gegenüber zuhörte, nichts von seiner Bereitschaft zu helfen, wo immer es nötig war, und mit weisem Rat Beistand zu leisten, nichts von seiner fast scheuen Bescheidenheit und der kraftvollen und dennoch verhaltenen Innigkeit, mit der er Klavier spielte, nichts von seiner Kraft, die Dinge in der Schwebe zu halten und die Spannung der Gegensätze zu ertragen. »Man muß es aushalten können, in der Spannung der Gegensätze zu leben«, sagte er oftmals zu mir; und das war das Fundament seiner Toleranz. Und seine ethischen Maßstäbe prüfte er immer wieder an dem Buch des Boetius ›Die Tröstungen der Philosophie‹, das dieser, ein hoher Staatsbeamter, im Kerker vor etwa 1500 Jahren geschrieben hatte, als der Kurs der Politik sich wieder einmal gewandelt hatte. Die Sprache, die in diesem Buch gesprochen wurde, war seine Sprache, seine Art zu denken und die Ereignisse des Zeitgeschehens und des eigenen Lebens zu bemessen. Oft fand ich ihn in seinem Arbeitszimmer mit diesem Buch in den Händen, lesend und sinnend, in stiller Sammlung und doch aufgetan für die spontane Begegnung.

Von ihm als Wissenschaftler und Lehrer zu reden steht mir nicht an. An diese Seite seines Lebens war er mit seiner größten Leidenschaft und Intensität gebunden. Davon sagte er mir mit lächelnder Gewißheit: »Ich habe das Glück gehabt, dem lieben Gott bei seiner Arbeit einmal über die Schulter schauen zu dürfen.« – Das war ihm genug, mehr als genug! Das gab ihm eine große Freudigkeit und die Kraft, den Feindseligkeiten und Mißverständnissen, denen er in der Welt immer wieder ausgesetzt war, mit Gleichmut zu begegnen und sich nicht beirren zu lassen.

Sein spontanes Menschsein hatte eine große Überzeugungskraft und Wärme. Sie strömte von ihm aus und übte ihren Zauber aus auf jedermann, der ihm unvoreingenommen begegnete. Wie viele Zeugnisse gibt es dafür, nicht zuletzt der überwältigende Fackelzug, bei dem alle Mitglieder des Instituts ungezählte Kerzen vor seinem Sterbezimmer aufstellten. Er war für viele Menschen zu einem Leitbild geworden, und seine Einfachheit und Unbestechlichkeit hatten ihm eine große Anhängerschaft nicht allein in Deutschland gewonnen, zu der wohl auch beigetragen hatte, daß er die schweren Jahre in Deutschland auf sich genommen und sich nicht selbst in Sicherheit gebracht hatte.

Bildnachweis

Privatbesitz Frau Elisabeth Heisenberg: 1, 2, 3, 6,7, 8, 9, 11, 12, 14, 15, 16, 17, 18, 19, 20, 23, 24, 31
Naturwissenschaften: 4
Fritz Hund: 5
G. Setti (Rom):10
Edith Kuby: 13
Susanne Liebenthal (Frankfurt): 21
Transocean (Berlin): 22
nld-Foto: 25
Erich Retzlaff: 26
dpa: 27
Max-Planck-Gesellschaft: 28
Alexander von Humboldt-Stiftung: 29, 30
Gerhard Gronefeld (München): 32
Rita Strothjohann (München): 33
Max-Planck-Institut für Physik: 34
C. F. von Weizsäcker: 35
Christine Heisenberg-Mann: 36
W. Ernst Böhm (Ludwigshafen): 37
Margret Reiter (München): 38, 39

Register

Das Register enthält zu wichtigen Freunden und Kollegen Heisenbergs biographische Notizen. Zu einigen Personen konnten keine Daten ermittelt werden. Bei anderen wurden die Angaben für entbehrlich gehalten. Einige wichtige Institutionen wurden mit Erläuterungen aufgenommen.

Die kursiv gesetzten Ziffern beziehen sich auf die Nummern der Abbildungen.

KWG = Kaiser-Wilhelm-Gesellschaft
KWI = Kaiser-Wilhelm-Institut
MPG = Max-Planck-Gesellschaft
MPI = Max-Planck-Institut

Adenauer, Konrad *25;* 170 f., 174, 178
Alexander von Humboldt-Stiftung: Die Stiftung stammt schon aus dem 19. Jahrhundert und wurde zur Förderung der Naturwissenschaft im Sinne von Alexander v. Humboldt eingerichtet. 1953 wurde sie neu gegründet. Ihr erster Präsident war Werner Heisenberg. Die Stiftung pflegt regelmäßige Kontakte mit über 6000 ehemaligen Gastwissenschaftlern in 83 Ländern. *29;* 9, 165, 179, 181

Bagge, Erich Rudolf, geb. 1912 in Neustadt (Coburg). Bis 1948 im KWI für Physik, dann Professor in Hamburg und 1957 Prof. und Direktor des Instituts für reine und angewandte Kernphysik an der Universität Kiel. 129, 138, 156
Balke, Siegfried *25*
Ballreich, Hans *17*
Beck, Ludwig, Generaloberst, geb. 1880 in Bielnich, gest. in Berlin 1944; ab 1935 Chef des Generalstabs des Heeres. 1938 trat er zurück und wurde zum Haupt der Widerstandsbewegung gegen Hitler. 124, 126
Beethoven, Ludwig van 187
Berg, Moe 121
Best, SS-Offizier, 102
Bethe, Hans, geb. 1906 in Straßburg, 1928 Promotion bei Sommerfeld, 1933 Emigration; 1935 Professur an der Cornell University; 1967 Nobelpreis für Physik. 48, 56, 85
Betz, Prof. an der Columbia University, 77
Beyerchen, Alan D., 17 f.
Biermann, Ludwig, geb. 1907 in Hamm/Westf.; ab 1948 am MPI für Physik in Göttingen. Nach dem Umzug des Instituts nach München im Jahre 1958 war er Direktor des Teilinstituts für Astrophysik bis 1977. 158
Blackett, Patrick, geb. 1897 in London, gest. 1974; 1921–24 Assistent von Ernest Rutherford; danach in Göttingen bei James Franck. Von 1925–33 erneut bei Rutherford; 1933

Professur in London; 1937 in Manchester; 1953 kehrte er nach London zurück. 1948 Nobelpreis für Physik. *31;* 153, 155

Bloch, Felix, geb. 1905 in Zürich; Promotion 1928 bei Heisenberg; nach Assistentenjahren in Zürich (1928–29 bei Pauli), Utrecht (1929–30 bei Kramers), Leipzig (1930–31) und Kopenhagen (1931–32) Habilitation 1932 in Leipzig. 1933 ging er an das Institut Henri Poincaré, Paris, und später an die Universität Rom (zu Fermi); 1934 kam er in die Vereinigten Staaten und wurde Ass. Prof. (1934–36) und Prof. (ab 1936) an der Stanford University. 1954–55 Generaldirektor von CERN; Nobelpreis für Physik 1952. *31;* 48, 56, 76, 85

Blount, Bertie, geb. 1907 in England; 1931 Promotion in Chemie (bei Borsche in Frankfurt); nach dem Kriege wichtigster Verbindungsmann zwischen den Göttinger Wissenschaftlern, dem ›German Scientific Advisory Council‹ und der Militärregierung; 1950 Direktor der ›Scientific Intelligence‹ im Verteidigungsministerium in London. 153 f., 156

Böggild, wissenschaftlicher Mitarbeiter von Nils Bohr in Kopenhagen. *31;* 102

Boetius, Anitius, geb. 480 in Rom, hinger. 524 in Pavia, Staatsmann und Philosoph. 188

Bohnet, Heidi, 18

Bohr, Aage, geb. 1922 in Kopenhagen, Sohn von Niels Bohr, Physiker, Prof. in Kopenhagen; Nobelpreis für Physik 1975. *31*

Bohr, Niels, geb. 1885 in Kopenhagen, gest. 1962 ebenda, studierte Physik in Kopenhagen, wo er 1911 promovierte. Nach verschiedenen Auslandsaufenthalten kehrte er nach Kopenhagen zurück und leitete von 1920 bis zu seinem Tode das Institut für Theoretische Physik in Kopen-

hagen, ein Mittelpunkt des gesamten naturwissenschaftlichen Lebens. 1922 wurde er mit dem Nobelpreis ausgezeichnet. *7, 9, 10, 14, 15, 27, 31;* 12, 41 ff., 44 f., 47 f., 57, 75, 77, 96 f., 99 ff., 102, 105, 116, 137

Bollmann, Erika, seit 1936 in der Generalverwaltung der KWG; Mitarbeit beim Wiederaufbau der KWG/ MPG nach Kriegsende; persönlicher Referent von Prof. Butenandt während dessen Präsidentschaft. 151

Bonhoeffer, Carl-Friedrich, geb. 1899 in Breslau, gest. 1957 in Göttingen; Promotion 1922 (bei Nerust in Berlin); nach einer Assistentenzeit im KWI in Berlin-Dahlem o. Prof. in Frankfurt und Leipzig, wo er zu dem engeren Kollegenkreis von Heisenberg gehörte. Nach dem Kriege Prof. in Berlin und Direktor des Dahlemer MPI für Physikalische Chemie. 1949 wurde er Direktor des MPI für Physikalische Chemie in Göttingen. 53, 76, 86, 109

Bonhoeffer, Dietrich, Theologe, geb. 1906 in Breslau, ermordet 1945 im KZ Flossenbürg; 1935 Direktor des Predigerseminars der Bekennenden Gemeinde in Finkenwalde; gehörte zum Widerstandskreis gegen das nationalsozialistische Regime. 1943 wurde er verhaftet und später hingerichtet. 53

Born, Max, geb. 1882 in Berlin, gest. 1970 in Bad Pyrmont; 1906 Promotion, 1909 Habilitation in Göttingen; Prof. in Berlin und Frankfurt. 1921 kam er nach Göttingen, wo er eine große Forschungs- und Lehrtätigkeit entwickelte. 1933 verließ er Deutschland und erhielt 1936 eine Professur an der Universität Edinburgh. Nach seiner Emeritierung 1953 kehrte er nach Deutschland zurück und lebte in Bad Pyrmont. 1954 erhielt er zusammen mit W. Bothe den Nobelpreis für Physik. *6;* 44 f., 56, 72

Bothe Walther, geb. 1891 in Oranienburg, gest. 1957 in Heidelberg; Physiker, Prof. in Gießen und Heidelberg, Direktor im MPI für Medizin. Forschung in Heidelberg; 1954 Nobelpreis für Physik (mit Max Born). 105

Brandt, Willy, 185

Burckhardt, Carl Jacob, geb. 1891 in Basel, gest. 1978. Historiker, Schriftsteller und Diplomat; von 1937–39 Hochkommissar des Völkerbundes in Danzig. Von 1944–48 war er Präsident des Internationalen Roten Kreuzes, von 1945–49 Gesandter in Paris. 185

Burckhardt, Jacob, geb. 1818 in Basel, gest. 1897 ebenda; studierte Theologie, Geschichte und Kunstgeschichte (u. a. bei Leopold v. Ranke), 1855 Professur in Zürich, 1858 in Basel. 184 f.

Butenandt, Adolf, geb. 1903 in Wesermünde-Lehe, studierte Chemie in Marburg und Göttingen; 1931 Privatdozent in Göttingen; 1933 erhielt er den Lehrstuhl für Organische Chemie an der TH Danzig, 1936 wurde er Direktor des KWI für Biochemie in Berlin. Nach dem Kriege ging er nach Tübingen. Von 1960–72 war er Präsident der MPG. 1939 Nobelpreis für Chemie. 87 f.

Calvert, amerikan. Offizier, 129

Caratheodory, Constantin, geb. 1873 in Berlin, gest. 1950 in München; Prof. für Mathematik in München. 58

Casimir, Gerhard, geb. 1909 in Den Haag; studierte Physik und Chemie in Leiden, Göttingen, Kopenhagen. 1932 ging er an die Universität Berlin zu Lise Meitner, anschließend zu Pauli nach Zürich. Ab 1942 bei den Philips-Werken, wo er leitender Direktor wurde. 31; 75

Cavaillés, französischer Physiker, 119

CERN = Conseil Européen pour la Recherche Nucléaire; die europäische Oranisation für Elementarteilchenforschung wurde 1954 in Genf gegründet. 163 f., 179

Corinth, Lovis, geb. 1858 in Ostpreußen, gest. 1925 in Berlin; Maler und Graphiker; 1919 baute Frau Corinth das kleine Haus am Walchensee, das die Familie Heisenberg kurz vor dem Kriege kaufte. 89

Cosyns, belgischer Physiker, 119

Courant, Richard; Mathematiker, *31;* 18

Debye (Debije), Peter Joseph, geb. 1884 in Maastricht, gest. 1966 in Ithaca, N. Y./USA; Habilitation 1910 in München. Dann Professuren in Zürich, Utrecht und Göttingen. Von 1927–35 in Leipzig als enger Kollege von Heisenberg. 1935 Direktor des KWI für Physik in Berlin. 1940 ging er in die Vereinigten Staaten. 1936 Nobelpreis für Chemie. *10;* 105, 109 f., 113, 115, 118

Diebner, Kurt, Physiker, zeitweise Leiter des Referats Kernphysik im Heereswaffenamt. 110, 131, 138

Diels, Ludwig, geb. 1874 in Hamburg, gest. 1945 in Berlin, studierte Botanik und wurde 1921 Prof. in Berlin und Direktor des Botanischen Gartens in Berlin-Dahlem. Er war Mitglied der Mittwochgesellschaft. 124

Dirac, Paul, geb. 1902 in Bristol; studierte Elektrotechnik und Mathematik in Bristol und Cambridge; von 1926–27 war er in Kopenhagen bei Niels Bohr. 1927 machte er mit Heisenberg eine Weltreise. Seit 1932 Prof. an der Universität Cambridge. 1933 Nobelpreis für Physik (mit Erwin Schrödinger). *27, 31;* 63, 119

Dönhoff, Marion Gräfin, seit 1968 Chefredakteur, seit 1973 Herausgeber der ZEIT. 185

Döpel, Gustav Robert, geb. 1895 in Neustadt/Orla; habilitierte sich 1932 für Physik in Würzburg und wurde Extraordinarius in Leipzig. Arbeitete mit Heisenberg an der Vorform des Reaktors. Von 1945–58 an Forschungsinstituten in der Sowjetunion; bekam schließlich einen Lehrstuhl an der Hochschule für Elektrotechnik in Ilmenau. 91

Dolch, Heino, geb. 1912 bei Leipzig; studierte Physik und Theologie und promovierte bei Heisenberg. Er gehörte dem Jesuitenorden an. Er habilitierte sich in Münster. Danach Prof. in Paderborn und seit 1963 in Bonn. 76

Dürr, Hans Peter, geb. 1929 in Stuttgart; studierte Experimentalphysik in Stuttgart. 1953 ging er nach Berkeley, Calif. und promovierte 1956 bei E. Teller. 1957 kam er auf Wunsch von Heisenberg nach Göttingen an das MPI für Physik. Seitdem engster Mitarbeiter von Heisenberg. 1970 Habilitation in München. Zur Zeit Direktor des MPI für Physik in München. *32, 34;* 159, 179

Einstein, Albert, geb. 1879 in Ulm, gest. 1955 in Princeton; studierte Physik in Zürich und Bern. 1914 wurde er nach verschiedenen anderen Stationen Direktor des KWI für Physik. 1933 emigrierte er und erhielt nach einiger Wanderschaft die leitende Stelle am ›Institute for Advanced Studies‹ in Princeton/USA. 1921 Nobelpreis für Physik. 25, 39, 52, 55 ff., 59, 62 f., 68

Euler, Hans, studierte theoretische Physik in Leipzig und wurde, nach Blochs Emigration, Assistent bei Heisenberg. Bei einem Aufklärungsflug über der Sowjetunion vermißt. *31;* 76

Fermi, Enrico, geb. 1901 in Rom, gest. 1954 in Chicago; studierte in Pisa, in Göttingen (bei Max Born) und in Leiden. Prof. in Florenz, später in Rom. 1939 emigrierte er nach USA und bekam eine Stelle an der Columbia University in New York, später eine Professur in Chicago. Er arbeitete mit am ›Manhattan-Project‹. 1938 Nobelpreis für Physik. *10;* 81, 85

Flügge, Siegfried, geb. 1912 in Dresden; studierte Naturwissenschaften in Dresden und Göttingen. Dann Assistentenzeit in Frankfurt und Leipzig 1936/37 und am KWI für Chemie in Berlin-Dahlem. Professuren in Marburg und Freiburg. 76

Franck, James, geb. 1882 in Hamburg, gest. 1964 in Göttingen; Physiker, Prof. in Berlin, Göttingen, Baltimore und Chicago; Nobelpreis für Physik 1925. 56

Franco, Francisco, 185

Friedrichs, Kurt und Nellie, Kurt Otto Friedrichs, geb. 1901 in Kiel; studierte Mathematik in Göttingen, promovierte bei Richard Courant im Jahre 1925, habilitierte 1929 in Göttingen. Bis 1937 Prof. an der Technischen Hochschule Braunschweig. Emigrierte 1937 nach USA, wo er 1943 eine Professur erhielt. Von 1958–66 Direktor des ›Courant Institute of Mathematical Science‹.

Nellie Friedrichs, geb. Bruell, seit 1937 verheiratet mit K. O. Friedrichs. 18

Gamow, George, *9*

Gans, Richard Martin, geb. 1880 in Hannover, gest. 1954 in City Bell, La Plata; studierte Elektrotechnik, Mathematik und Physik in Hannover und Straßburg. 1912 ging er als Direktor des physikalischen Instituts an die Universität La Plata, Argentinien, kehrte 1925 nach Deutschland zurück. Ab 1947 wieder in Argentinien. 119

Gaulles, Charles de, 185

Geiger, Hans, geb. 1882 in Neustadt,

gest. 1945 in Berlin; Schüler von Rutherford, Prof. in Kiel, Tübingen. 59

Gerlach, Walter, geb. 1889 in Bieberich am Rhein, gest. 1979 in München; studierte Physik in Tübingen, wo er sich auch 1916 habilitierte. Nach Jahren im Krieg und in der Industrie wurde er 1920 Prof. für Experimentalphysik in Frankfurt, 1929 Prof. in München (als Nachfolger von Wilhelm Wien). Er gehörte zu den 10 nach dem Kriege inhaftierten Atomwissenschaftlern. Ab 1943 war er Beauftragter im Reichsforschungsrat für das deutsche Uranprojekt. 58, 122, 131, 138, 152, 171

Göring, Hermann, 133, 145

Gora, polnischer Physiker, 119

Goudsmit, Samuel, geb. 1902 in Den Haag, gest. 1978 in Reno, Nevada; studierte in Leiden Physik; 1928 wanderte er nach USA aus. Verschiedene Professuren in den USA. Von 1944–45 Chief Scientific Officer des ›Alsos Project‹. 31; 17f., 127, 132ff., 135ff., 138, 142, 145, 155

Grönblom, Berndt Olaf, studierte Mathematik und Physik in Finnland; 1935 ging er zu Pascual Jordan nach Rostock und 1936 nach Leipzig. Er fiel im russ.-finn. Krieg. 31; 76

Groves, Leslie R., geb. 1896, gest. 1979; amerikanischer General. Von 1942–47 leitete er das ›Manhattan-Project‹. 17f., 127, 140, 144ff.

Häfele, Wolfgang, Kernphysiker, studierte bei Weizsäcker in Göttingen, wurde dann Direktor des Instituts für angewandte Reaktorphysik im Kernforschungszentrum Karlsruhe. 111, 115, 158

Hahn, Otto, geb. 1879 in Frankfurt/Main, gest. 1968 in Göttingen. Er studierte organische Chemie und wandte sich als Mitarbeiter von Rutherford in Montreal der Radiochemie zu. Seit 1912 Leiter der radioaktiven Abteilung des KWI für Che-

mie in Berlin. Von 1926 bis 1942 Direktor dieses Instituts. Ab 1946 Präsident der Max-Planck-Gesellschaft. Ende 1938 entdeckte er zusammen mit F. Strassmann die Uranspaltung und ihre Kettenreaktion. 1944 Nobelpreis für Chemie. 16, 25; 20, 84, 131, 137f., 141, 144ff., 148f., 151ff., 155, 164, 168, 171

Harteck, Paul, geb. 1902 in Wien; studierte Chemie in Wien, Berlin und war Prof. für Physikalische Chemie in Hamburg von 1934–51. Dann ging er als Research Prof. nach New York. 131, 138, 152

Hassel, Ulrich v., 124, 126

Hauptmann, Gerhard, 70

Haxel, Otto, geb. 1909 in Neu-Ulm; studierte Physik in München und Tübingen, wo er sich 1936 habilitierte. Dann ging er an die TH Berlin. 1946–50 Assistent am MPI für Physik in Göttingen. 1950 Professur in Heidelberg. 158

Heisenberg, Annie, geb. Wecklein, geb. 1871, gest. 1945 in Bad Tölz; Tochter des Gymnasialdirektors des Max-Gymnasiums in München. Heiratete 1898 August Heisenberg. 2 Söhne: Erwin, geb. 1900, Werner Carl, geb. 5. 12. 1901. 2; 19f., 69f., 130

Heisenberg, August, geb. 1869 in Osnabrück, gest. 1930 in München; studierte ab 1888 alte Sprachen und Byzantinistik in Marburg, München, Leipzig und wieder München. Zuerst wurde er Lehrer an verschiedenen Gymnasien in München, Lindau und Würzburg, wo er sich neben seiner Schultätigkeit in Byzantinistik habilitierte. Er wurde 1911 Nachfolger seines Lehrers Krumbacher in München und hat das Forschungsgebiet durch Einbeziehung des kulturellen Bereiches bereichert und vertieft. 1, 2, 3; 20, 23f., 28ff., 32, 34, 106

Heisenberg, August Wilhelm, geb.

1831, gest. 1912 in Osnabrück; Schlossermeister. 27

Heisenberg, Erwin, Bruder von Werner Heisenberg, *2, 3;* 20 ff.

Heisenberg, Jochen, geb. 1939; studierte Experimentalphysik in Heidelberg und München; von 1962–63 war er in Stanford und arbeitete bei Hofstetter. 1964 am MPI für Physik in München; danach folgte er einem Ruf an das MIT in Cambridge/Mass. Seit 1978 ist er Fullprof. in Durham/N. H. 187

Heisenberg, Wolfgang, geb. 1938; Studium der Rechte in Heidelberg und München. Jetzt an der Thyssen-Stiftung in Köln. 187

Hellwege, Heinrich, *25*

Herbig, Jost, Schriftsteller, 17 f.

Hermann, Armin, geb. 1933 in Verona; studierte Naturwissenschaften und habilitierte sich 1968 in München; seit 1968 Prof. für Geschichte der Naturwissenschaft in Stuttgart. 17 f., 127, 141

Heydrich, Reinhard, 73

Hilpert, Heinz, Regisseur, 159

Himmler, Heinrich, 66, 68 f., 73, 185

Himmler, Gebhard, Gymnasialdirektor, Vater Heinrich Himmlers, 69

Hitler, Adolf, 26, 29, 49, 78, 80, 82, 86 f., 94 f., 111, 125, 130, 185

Holst, Erich von, geb. 1908 in Riga, gest. 1962 in München; Zoologe, Habilitation 1934 in Göttingen. 1946 Prof. in Heidelberg, 1949 Abteilungsleiter am MPI für Verhaltensphysiologie in Seewiesen. 187

Houtermans, Fritz Georg, geb. 1903 in Danzig; studierte Physik von 1921–27 in Göttingen. Habilitierte sich in Berlin und ging 1935 aus Überzeugung in die Sowjetunion, wo er zuerst in Charkow am Ukrainischen Physikinstitut arbeitete, dann aber in die Mühlen der Polizei und ins Gefängnis geriet. 1940 gelang es, ihn auszutauschen, und er kam nach Berlin zurück. 1945 kam er nach Göttingen an das MPI für Physik; 1952 nahm er einen Ruf nach Bern an. 158

Humboldt-Stiftung, vgl. Alexander von Humboldt-Stiftung

Hund, Fritz, geb. 1896 in Karlsruhe; studierte Physik in Göttingen und Marburg. Er promovierte und habilitierte sich bei Max Born in Göttingen. Dann 2 Jahre Kopenhagen. 1929 kam er nach Leipzig als enger Kollege von Heisenberg. 1956 verließ er die DDR und bekam eine Professur in Göttingen. *31; 53,* 76, 173 f.

Jacobi, Erwin, geb. 1884 in Zittau, gest. 1965 in Leipzig; studierte die Rechte und wurde 1912 Privatdozent an der Universität Leipzig und 1920 o. Prof.; 1933 wurde er von seinem Amt suspendiert und 1945 wieder eingesetzt. Sein Gebiet war Staats-, Verwaltungs-, Arbeits- und Kirchenrecht. Er gehörte zu den nächsten Freunden von Heisenberg. 53

Kaiser-Wilhelm-Gesellschaft zur Förderung der Wissenschaften (vgl. auch Max-Planck-Gesellschaft), gegründet 1911 auf Anregung des damaligen Kaisers Wilhelm II. und nach dem Vorschlag von Adolf von Harnack. Selbständige Forschungsinstitute, die nur der reinen Forschung dienen sollten. Die Gesellschaft wurde weitgehend aus privaten Stiftungen und durch staatliche Schenkungen unterhalten. 1946 wurde die Gesellschaft in Max-Planck-Gesellschaft umbenannt. Ihre Präsidenten waren:
Adolf von Harnack (1911–1930),
Max Planck (1930–1937),
Carl Bosch (1937–1940),
Albert Vögler (1940–1945),
Max Planck (1945–1946),

Otto Hahn (1946–1960),
Adolf Butenandt (1960–1972),
Reimar Lüst seit 1972.
17, 59, 93, 112 f., 148 f., 150 ff., 153 f.

Kant, Immanuel, 60

Kedar, Benjamin, geb. 1938 in Nitva/
CSSR; studierte mittelalterliche Geschichte in Jerusalem/Israel. Alexander von Humboldt-Stipendiat in den
Jahren 1976/77 am deutschen Institut
für Erforschung des Mittelalters,
München. Jetzt Dozent an der He-
brew University of Jerusalem. 18

Kemble, Edwin, geb. 1889 in Dela-
ware/Ohio; studierte Physik an verschiedenen Instituten in USA. Von
1919 bis 1957 lehrte er an der Har-
vard Universtiy. Er gehört zu den
Pionieren der Quantentheorie in den
USA. 133

Kennedy, John F., 185

Kissinger, Henry A., 185

Klein, Oscar, 9

Kölbl, Rektor der Münchener Universität, 61 f.

Koppe, Heinz Walter, geb. 1918 in
Leipzig; promovierte 1946 bei Heisenberg. Bis 1954 Assistent am MPI
für Physik in Göttingen; dann an den
Universitäten Heidelberg und München, seit 1963 Prof. für Theoretische Physik an der Universtät Kiel.
20; 158

Korsching, Horst, geb. 1912 in Danzig; studierte Astrophysik. Seit 1937
gehörte er dem KWI für Physik an,
später dem MPI für Physik in Göttingen und München. 129, 138

Kramers, Hendrik Antony, geb.
1894 in Rotterdam, gest. 1952 in
Oegstgeest/Holland; studierte in Lei-
den und Kopenhagen Theoretische
Physik. Er promovierte 1919 und ar-
beitete dann bis 1926 im Institut von
Niels Bohr. Professuren in Utrecht,
Leiden, Delft. 1947–51 Präsident der
Internationalen Union für reine und
angewandte Physik. 9; 14

Kuby, Edith, geb. Schumacher, geb.
1910 in Bonn; Schwester von Elisabeth Heisenberg, heiratete 1938 den
Schriftsteller Erich Kuby. 172, 174

Landau, Lev Davidovic, geb. 1908
in Baku, gest. 1968 in Moskau; studierte Physik an der Universität von
Baku und in Leningrad; dort Assistent bis 1929. Dann ging er nach
Kopenhagen zu Niels Bohr. 1932
Leiter der Theoretischen Abteilung
am Ukrainischen Institut für Mechanik und Maschinenbau in Charkow.
1937 kam er nach Moskau an das Institut für Physik der Akademie der
Wissenschaften der UdSSR als Leiter
der Theorieabteilung. 1962 Nobelpreis für Physik. 9

Laue, Max von, geb. 1879 bei Ko-
blenz, gest. 1960 in Berlin; studierte
Mathematik, Physik und Chemie in
Straßburg, Göttingen, München,
Berlin, wo er 1903 bei Max Planck
promovierte und sich 1906 habilitierte. Von 1909–12 Privatdozent in
München, dann Zürich und Frankfurt. 1919 ging er nach Berlin und
wurde enger Mitarbeiter von Max
Planck. 1944 ging er mit Heisenbergs Institut nach Hechingen. Nach
dem Kriege Internierung in England
und 1946 weiterhin am Institut von
Heisenberg in Göttingen. 1951 übernahm er das Fritz-Haber-Institut in
Berlin. 1914 Nobelpreis für Physik.
16; 39, 59, 105, 119, 129, 138

Lehmann, Fritz, Dirigent 159

Lenard, Philipp, geb. 1862 in Preß-
burg, gest. 1947 in Messelhausen;
studierte Physik in Budapest, Wien,
Berlin und Heidelberg, wo er 1886
promovierte. 1894 Habilitation bei
Heinrich Hertz in Bonn. Nach verschiedenen Professuren wurde er
Ordinarius für Physik an der Universität Heidelberg. 1905 Nobelpreis
für Physik. In den 20er Jahren trat er
in die NSDAP ein und wurde zum
Hauptvertreter der sog. »arischen«

—— 197 ——

oder »deutschen Physik«. 39, 55f., 58f., 68, 71, 110

Lindemann, Ferdinand, geb. 1852 in Hannover, gest. 1939 in München; promovierte bei Felix Klein in Erlangen 1873; 1877 wurde er Privatdozent und a. o. Prof. in Würzburg, 1883 Prof. der Mathematik in Königsberg und 1893 an der Universität München. 31

Ludwig III., König von Bayern 19

Lüst, Reimar, geb. 1923 in Wuppertal-Barmen. Nach Marinedienst und amerikanischer Gefangenschaft studierte er Physik in Göttingen. Er habilitierte sich 1960 an der Universität München und wurde noch im gleichen Jahr wissenschaftliches Mitglied und Abteilungsleiter am MPI für extraterrestrische Physik. Seit 1972 Präsident der Max-Planck-Gesellschaft. 18, 158f.

Max-Planck-Gesellschaft, (vgl. auch Kaiser-Wilhelm-Gesellschaft), 17, 153f., 164, 176

Mentzel, Ministerialdirektor, 110f.

Menzel, Student, 59, 110

Milch, Erhard, 92

Müller, Wilhelm, Physiker, 74

Nachmansohn, David, geb. 1899 in Jekaterinoslaw/Russland; studierte Biochemie und Medizin (1926 Dr. med.) an der Universität Berlin und arbeitete dann am KWI für Biologie (1926–30), an der Sorbonne (1933–39) und als Prof. an der Yale School of Medicine (1939–42) und am Columbia College of Physiology and Surgery (nach 1942). Seit 1954 Prof. der Biochemie. 18

Nansen, Fridtjof, 46

Napoleon, 83

Ossietzky, Carl von, geb. 1889, gest. 1938 im KZ. Er war überzeugter Pazifist und arbeitete seit 1920 für die Deutsche Friedensgesellschaft, dann als Redakteur der Berliner Volkszeitung, dann an der Zeitschrift »Das Tagebuch« und gab von 1926–33 die Zeitschrift »Die Weltbühne« heraus. Nach dem Reichstagsbrand wurde er verhaftet, und starb in einem Konzentrationslager. 1935 erhielt er den Friedens-Nobelpreis. 63, 73

Pash, Boris T. amerikanischer Offizier, 131, 138

Pauli, Wolfgang, geb. 1900 in Wien, gest. 1958 in Zürich; studierte Theoretische Physik bei Sommerfeld in München von 1918–21, ging dann zu Max Born nach Göttingen, nach Hamburg und Kopenhagen (1922–23 bei Niels Bohr); 1924 habilitierte er sich und ging dann nach Zürich, wo er bis zu seinem Lebensende blieb. Nur während des Krieges (1941–45) ließ er sich nach den USA beurlauben und lehrte in Princeton am ›Institute for Advanced Studies‹. 1945 Nobelpreis für Physik. 9, 23; 45, 173ff.

Pegram, George B., geb. 1876 in North Carolina, gest. 1958 in Pennsylvania; seit 1909 Prof. an verschiedenen Universitäten in den USA. Im Kriege war er Vorsitzender der Columbia Commission on War Research. 81

Pfeiffer, Heinrich, geb. 1927 in Weinberg/Hessen; seit 1956 Generalsekretär der Alexander von Humboldt-Stiftung. 180

Planck, Erwin, Sohn von Max Planck, 150

Planck, Max, geb. 1858 in Kiel, gest. 1947 in Göttingen; studierte Physik in München und Berlin, 1880 Habilitation in München, 1885 a. o. Prof. für Physik in Kiel, 1889 Prof. in Berlin, 1913 Rektor der Berliner Universität, 1918 Nobelpreis, 1930–1937 Präsident der Kaiser-Wilhelm-Gesellschaft, 1943 Flucht aus

Berlin; 1945 trifft er in Göttingen ein. Er übernimmt nochmal die Geschäfte der KWG. Auf seinen Vorschlag wird Otto Hahn 1946 zum neuen Präsidenten gewählt. *19; 53 f, 56, 59, 65, 150 f., 153*

Plato, 173

Popitz, Johannes, geb. 1884 in Leipzig, hinger. 1945 in Berlin-Plötzensee. Er war Jurist und seit 1919 im Reichsfinanzministerium tätig. 1932 unter General von Schleicher wurde er Reichsminister, von 1933–44 preußischer Finanzminister. 1944 wurde er im Zusammenhang mit dem Attentat auf Hitler verhaftet. 124 ff.

Prandtl, Ludwig, Physiker, 74

Rausch von Traubenberg, Heinrich, geb. 1880 in Estland, gest. 1944 in Hirschberg; studierte in Leipzig, Freiburg, Würzburg und promovierte 1905 bei W. Wien. Nach verschiedenen Professuren richtete er 1937 ein Privatlabor in Berlin ein. 119

Reichwein, Adolf, geb. 1898 in Bad Ems, hinger. 1944 in Berlin-Plötzensee. 1930 erhielt er eine Professur für Geschichte und Staatsbürgerkunde in Halle a. d. Saale. Er trat in die SPD ein und wurde 1933 entlassen. Er arbeitete dann als Dorfschullehrer und am Volkskundemuseum in Berlin. Seit 1942 gehörte er dem Kreisauer Kreis an. Er wurde 1944 verhaftet und zum Tode verurteilt. 123

Rein, Friedrich Hermann, geb. 1898 in Mitwitz, gest. 1953 in Göttingen; studierte Medizin und Naturwissenschaften in München und Würzburg. 1924 Dr. med., 1926 Habilitation in Freiburg, seit 1932 Professur in Göttingen, wo er von 1946–48 Rektor der Universität war. 161

Robinson, Charles F., geb. 1915 in Vernon/Texas; studierte Naturwissenschaften am ›Cal. Inst. of Technology‹, Pasadena, und gehörte von 1941–45 zum technischen Stab des ›Office for Scientific Research and Development‹. 155

Roosevelt, Franklin D., 25

Rozental, Stefan, langjähriger Mitarbeiter von Niels Bohr, *31; 50*

Ruf, Sep, Architekt, 179

Rust, Bernhard 66

Sauerbruch, Ferdinand, geb. 1875 in Barmen, gest. 1951 in Berlin; bedeutender Chirurg, besonders auf dem Gebiet der Brustkorbchirurgie, Mitglied der Mittwochgesellschaft. 124

Scherrer, Paul, geb. 1890 in St. Gallen/Schweiz; studierte in Zürich, Göttingen, wurde 1918 in Göttingen Privatdozent. Von 1920–60 Prof. an der Eidgenössischen TH in Zürich. 121

Schiller, Friedrich, 14, 26

Schlüter, Arnulf, geb. 1922 in Berlin; promovierte 1947 in Bonn, wissenschaftlicher Mitarbeiter des KWI-MPI für Physik seit 1948, ab 1959 wissenschaftliches Mitglied. Seit 1960 unter Vorsitz von Heisenberg Mitglied der wissenschaftlichen Leitung des Instituts für Plasmaphysik. 1965–73 als Nachfolger von Heisenberg Vorsitzender der wiss. Leitung des MPI für Plasmaphysik, dem er bis heute angehört. *20; 158*

Schmidt, Helmut, 185

Schrödinger, Erwin, geb. 1887 in Wien, gest. 1961 in Wien; studierte Physik an der Universität Wien von 1906–10. Er habilitierte sich 1914 in Wien, ging 1920 an die Universität Jena (zu Max Wien), wurde dann a. o. Prof. an der TH Stuttgart und o. Prof. an der Universität Breslau. 1921 Lehrstuhl für Theoretische Physik an der Universität Zürich, 1927 war er Nachfolger von Max Planck an der Universität Berlin. 1933 verließ er Deutschland und ging zunächst nach Oxford

(1933–36), dann an die Universität Graz (1936–38) und schließlich an das ›Institute for Advanced Studies‹ in Dublin (1939–56). Dann kehrte er an die Universität Wien zurück. 1933 Nobelpreis für Physik (mit Paul Dirac). 63

Schumacher, Hermann Albert, geb. 1868 in Bremen, gest. 1954 in Göttingen; Nationalökonom. Nach größeren Auslandsreisen und mehrjähriger Tätigkeit im preußischen Ministerium der öffentlichen Arbeiten wurde er 1899 a. o. Prof. in Kiel, 1904 Prof. in Bonn. Er gründete die Handelshochschule in Köln. 1917 wurde er nach Berlin berufen. Sein Hauptinteresse galt der Entwicklung der Weltwirtschaft. Verheiratet mit Edith Zitelmann, 5 Kinder, darunter Elisabeth (später Heisenberg). 64 f.

Sommerfeld, Arnold, geb. 1868 in Königsberg, gest. 1951 in München; studierte Mathematik in Königsberg, wo er 1891 bei Lindemann promovierte. 1895 habilitierte er sich in Göttingen; nach verschiedenen Professuren kam er 1906 auf den Lehrstuhl für Theoretische Physik in München und begründete da eine sehr berühmte »Schule«, aus der eine ganze Generation guter Physiker hervorgegangen ist. 4; 12, 31, 39 f., 43, 45, 55, 57 f., 61, 63, 71 f., 74, 77, 105, 109

Speer, Albert, 17 f., 92 f., 114

Spranger, Eduard, geb. 1882 in Berlin, gest. 1963 in Tübingen; Philosoph und Pädagoge. Nach Habilitation in Berlin (1909) Prof. in Leipzig (ab 1911), in Berlin (1920–46), dann in Tübingen. Er war Mitglied der Mittwochgesellschaft. 124, 126

Stark, Johannes, geb. 1874 in Niederbayern, gest. 1957 in Traunstein; studierte Naturwissenschaften an der Universität München. Extraordinarius an verschiedenen Universitäten. 1922 zog er sich zurück und arbeitete in einem eigenen Labor. 1919 Nobelpreis für Physik. In den 20er Jahren schloß er sich dem Kreis von Lenard an und wurde ein streitbares Mitglied der NSDAP. 1933 wurde er Präsident der Physikalisch-Technischen Reichsanstalt, 1939 Präsident der Deutschen Forschungsgemeinschaft. 56, 58 ff., 62, 68, 71, 110

Straßmann, Fritz, geb. 1902 in Boppard, gest. 1980 in Mainz; Chemiker, Prof. in Mainz, entdeckte 1938 zusammen mit O. Hahn die Uranspaltung. 147

Strauß, Franz Josef 171

Supec, Ivan, geb. 1915 in Zagreb; studierte Theoretische Physik in Leipzig und promovierte 1940. Er kämpfte im Krieg im Widerstand unter Tito. 1945 wurde er Prof. für Theoretische Physik in Zagreb, begründete ein großes Institut und hatte auch in der Politik erheblichen Einfluß im Sinne echter Demokratisierungen unter der Herrschaft von Tito. 76

Teller, Edward, geb. 1908 in Budapest; studierte Physik an der TU Karlsruhe und in Leipzig, wo er 1930 bei Heisenberg promovierte. Dann Göttingen 1931–33, Kopenhagen 1934, London 1935–41. Prof. an der George Washington University in Washington; von 1941–51 arbeitete er am amerikanischen Atom- und Wasserstoffbombenprojekt, dann in Chicago und schließlich in Berkeley. 48, 85

Telschow, Ernst, geb. 1889 in Berlin; studierte Chemie, Physik, Technologie in München und Berlin. Promotion bei Otto Hahn 1911. 1931 Eintritt in die Generalverwaltung der KWG und 1937 geschäftsführender Vorstand der Gesellschaft. 1948 wurde er geschäftführendes Mitglied des Verwaltungsrates der MPG,

1954 pensioniert. 1954–59 Geschäftsführer der Physikalischen Studiengesellschaft Düsseldorf. 1959–68 Aufbau des MPI für Plasmaphysik in Garching bei München. Ehrensenator der MPG. 93, 112, 149 ff.

Tetzler, Schwager von Paul Dirac, Kaufmann in Rumänien, 119

Tito, Josip Broz, 185

Tomonaga, Sin-Tiro, geb. 1906 in Tokyo, gest. 1979 ebenda; studierte Physik in Kyoto bis 1929; arbeitete von 1937–39 in Leipzig bei Heisenberg. Danach ging er zurück nach Japan. 1965 erhielt er zusammen mit Richard Feynman und Julian Schwinger den Nobelpreis für Physik. 76

Vögler, Albert, geb. 1877 in Barbeck, gest. 1945 in Dortmund; war Hütteningenieur, Industrieller, 1917–36 Vorsitzender des Vereins Deutscher Eisenhüttenleute, 1926 Mitbegründer der Vereinigten Stahlwerke AG, Politiker (1919–20 Weimarer Nationalversammlung, 1920–24 Abgeordneter der Deutschen Volkspartei). Von 1941–45 Präsident der KWG. 149 f.

Volz, Helmut, geb. 1911 in Göppingen, gest. 1978 in Erlangen; studierte Physik in Tübingen, München und Leipzig. 1944 Prof. an der Universtiät Erlangen; arbeitete auf dem Gebiet der Kernphysik. 76

Waerden, Barthel Lendert van der, geb. 1903 in Amsterdam; studierte Mathematik in Amsterdam, Göttingen, und Hamburg. 1927 habilitierte er sich in Göttingen, 1931 folgte er einem Ruf nach Leipzig, wo er bis 1945 blieb und zu dem vertrauten Kollegenkreis von Heisenberg gehörte. Nach dem Kriege in Zürich vorwiegend mit der Geschichte der Mathematik befaßt. 53, 76

Watanabe, japan. Physiker 76

Wecklein, Nicolaus, geb. 1843 in Gainsheim/Unterfranken; gest. 1926 in München, studierte klassische Philologie in Würzburg; habilitierte sich in München, ging aber dann als Lehrer an das Max-Gymnasium, später nach Bamberg, Passau und wurde 1886 Rektor am Max-Gymnasium in München. 19 f., 69, 106

Weißkopf, Victor, geb. 1908 in Wien; studierte in Wien und Göttingen Theoretische Physik. 1931 promovierte er bei Max Born. Danach ein Jahr in Leipzig, dann Berlin. Schließlich Assistent bei Wolfgang Pauli in Zürich. 1936 ein Jahr Kopenhagen. Dann ging er nach Amerika. Im Kriege arbeitete er am ›Manhattan-Project‹ mit. Schließlich Professur am MIT in Cambridge/Mass. Von 1960–65 leitete er CERN in Genf. *31;* 18, 48, 85

Weizsäcker, Carl Friedrich von, geb. 1912 in Kiel; studierte Physik in Berlin, Göttingen, Leipzig, wo er 1933 bei Heisenberg promovierte. Seit 1936 am KWI für Physik in Berlin tätig. Von 1942–44 lehrte er als a. o. Prof. in Straßburg, dann kehrte er an das Heisenberg-Institut in Hechingen zurück. Ab 1946 Abteilungsleiter am MPI für Physik in Göttingen, 1957 als Prof. für Philosophie nach Hamburg. 1969–1980 Direktor des MPI zur Erforschung der Lebensbedingungen der wissenschaftlich-technischen Welt in Starnberg. Weizsäcker gehörte zu den nächsten Freunden von Heisenberg. *28, 31, 35;* 5, 17 f., 31, 48, 108 f., 111, 129, 138, 156, 158, 162, 167 f., 171, 179

Wergeland, Harald, geb. 1912; studierte Physik in Trondheim, Leipzig, Kopenhagen und Oslo und wurde 1946 Prof. für Theoretische Physik an der TH Trondheim. *31;* 76

Weyl, Hermann, geb. 1885 in Elmshorn; gest. 1955 in Zürich; studierte Mathematik in München und Göttingen und promovierte 1908 bei David Hilbert. Professuren in Göttingen, Zürich, Nachfolger von Hilbert in Göttingen. Verließ 1933 Deutschland und ging nach Princeton. *31*

Wheeler, John A., geb. 1911 in Jacksonville/Florida; studierte Physik an der John Hopkins University, Baltimore, wo er 1933 promovierte. Von 1933–35 war er National Research Council fellow in New York und Kopenhagen, von 1935–38 Ass. Prof. an der University of North Carolina und seit 1938 Prof. an der Princeton University. Seit 3 Jahren lehrt er an der University of Texas in Austin. *31; 137*

Wieland, Heinrich, geb. 1877 in Pforzheim; gest. 1957 in Starnberg; studierte Chemie in Berlin, Karlsruhe und München. 1904 habilitierte er sich an der Universität München und blieb dort mit einer kurzen Unterbrechung bis an sein Lebensende. 1927 Nobelpreis für Chemie. *58*

Wien, Max, geb. 1866 in Königsberg, gest. 1938 in Jena; Physiker, Prof. in Danzig und Jena. *59*

Wien, Wilhelm, geb. 1864 in Ostpreußen; gest. 1928 in München; studierte Mathematik und Physik in Göttingen und Berlin und promovierte 1886 bei Helmholtz in Berlin. Nach verschiedenen Stationen in Aachen, Gießen und Würzburg erhielt er 1920 den Lehrstuhl für Experimentalphysik in München, wo er bis zu seinem Tode blieb. *42*

Wildermuth, Karl, geb. 1921 in Stuttgart; studierte Physik in Göttingen, Promotion 1949 bei Heisenberg, dann Ass. in Göttingen (1949–51), am Institute for applied Mathematics and Mechanics der University of New York (1951–52). Er habilitierte sich 1954 an der Universität München, arbeitete 1956–57 bei Bohr in Kopenhagen, 1957 bei CERN. 1959 wurde er Ass. Prof. an der Florida State University, Tallahassee, 1964 wechselte er an die Universität Tübingen. *20*

Wirtz, Karl, geb. 1910 in Köln, studierte Physik und phys. Chemie in Bonn, Freiburg und Breslau und wurde 1935 Ass. bei Bonhoeffer in Leipzig. 1937 trat er ins KWI für Physik in Berlin ein, 1944 wurde er Abteilungsleiter; 1954 Direktor des Instituts für Neutronenphysik und Reaktortechnik in Karlsruhe, zugleich auch Prof. an der Technischen Hochschule. *24; 109f., 111f., 115, 129, 138, 156, 158, 178*

Werner Heisenberg

Schritte über Grenzen

Gesammelte Reden und Aufsätze. 4. Aufl., 30. Tsd. 1977.
353 Seiten. Geb.

»Heisenberg legt die Summe eines reichen wissenschaftlichen Lebens vor.
Er bietet ein faszinierendes Panorama der Denkprozesse, die für das
Bewußtsein des Menschen heute ausschlaggebend sind.«

Bayerischer Rundfunk

»Werner Heisenberg ist nicht nur einer der bedeutendsten Physiker
unseres Jahrhunderts, er ist auch ein Denker, der sein berufliches Tun
immer im Gesamtzusammenhang mit anderen Wissenschaften,
mit Kunst und Gesellschaft gesehen hat. Seine Aufsätze, Schritte über
die Grenzen wissenschaftlicher Bemühung, handeln von der Physik
nur bedingt, sind weiter gespannt, gehen uns alle an. Hier legt ein
Physiker dar, wie das heutige Weltbild der Physik beschaffen ist, wie
sich ... die Resultate der Forschung auswirken.«   Der Bund, Bern

Tradition in der Wissenschaft

1977. 145 Seiten. Serie Piper 154. Kart.
Reden und Aufsätze

Aus dem Inhalt: Tradition in der Wissenschaft · Die Begriffsentwicklung
in der Geschichte der Quantenmechanik · Die Anfänge der Quantenmechanik in Göttingen · Kosmische Strahlung und fundamentale
Probleme in der Physik · Die Rolle der Elementarteilchen-Physik in der
gegenwärtigen Entwicklung der Wissenschaft · Begegnungen und
Gespräche mit Albert Einstein

Denken und Umdenken

Zu Werk und Wirkung von Werner Heisenberg. Für die Alexander
von Humboldt-Stiftung herausgegeben von Heinrich Pfeiffer.
1977. 279 Seiten und 10 Fotos. Broschiert

Der Band zeigt eindrucksvoll Heisenberg als Mensch, Physiker und
großen Denker in unserer Zeit, der er neue Anstöße gegeben hat.
Die weltweite Wirkung eines der größten Gelehrten der Gegenwart wird
sichtbar an der breiten Auswahl der Themen, die alle im Heisenbergschen
Sinne grenzüberschreitend sind.